全てのインバウンドビジネスで使える
世界中のお客様をリピーターにする「おもてなし英語」

ワン	ツー	スリー
1	**2**	**3**
初来日！	リピーター	在住5年〜

ツーリズム 法則の 接客英語

ルース・マリー・ジャーマン
Ruth Marie Jarman

JN027676

合わせた
おもてなしが
できる！

Jリサーチ出版

■ 本書を手に取った皆様へ
■ ［1，2，3ツーリズム法則］を始めましょう！

「1988年の私」とそっくりな一見さんが現在の日本に急増中！

　日本語が不自由で、常識やコミュニケーションスタイルが大きく異なる、「一見さん」の皆様、そして、居住している中長期滞在の外国人とどう関わり、どう印象付けるかが、これからの日本の経済力維持のための大きな課題です。

　今後の外国人増加を見据えて、多くの日本企業や自治体が動き出しています。また、外国人増加を加速させる気配もあり、日本の政府は2030年までのゴールを、なんと年間6000万人の訪日外国人観光客獲得としています！ オールジャパンで本腰を入れている以上、達成しないことはないと私は見ています。

　これまでは、近隣国であるアジア方面からの観光客が7割を占めていましたが、現在の日本政府のターゲットは「欧米豪」となっています。つまりこれからは漢字圏ではないお客様が大幅に増える見込みであり、その全員が1988年に就職のため来日した私同様の「一見さん」に近い状態で来日するのだということを意味します。アジアを初めて訪れる方もたくさんいらっしゃると思います。つまり彼らにとっては全てが"非日常的"です。自分がわからないことがわからないため、ついつい慣れているところに頼りがちです。マックだったり、コーヒーだったり、ベッドだったりと、ファミリアー（慣れている）なものに手を伸ばしがちですが、本心では「せっかく日本にいるのだから日本的なものを食べたり、買ったり、体験したりしたい！」と思っています。

　蕎麦や抹茶や布団などの体験をしたいと思っていても、適切な説明がなければ、そういうものとの出会ことはできません。たとえ美味しそうなお蕎麦が店頭のショーケースに展示されていても、「そば」という字が読めなければ、のれんをくぐる勇気が湧いてきません。そこで本書は、日本全国のお店、商業施設、レストラン、地元アクティビティへの導線を作るためのヒントを提供させていただきたいと思います。各地を訪れる外国人観光客にとどまらず、各地に増えると思われる外国籍の住民とのコミュニケーションの円滑化と、コミュニティの構成に

一役買うことができたら、何より幸いに思います。外国人の増加はもはやブームをはるかに超え、トレンドとなっています。そのトレンドでどう潤うか？ それが本書のポイントです。

一見さんにとって実はハードルが高い日本のコンテンツ情報

この外国人増加傾向は、根っからの営業マンの私からしてみれば、どれだけありがたい状況か！ 新規の顧客層がこちらの玄関まで来ているのです！ あとはそれぞれのお店、自治体への導線づくりと消費の促進をするだけです。

そこで私は断言します。日本のコンテンツは世界が求めている内容ばかり！ 売れます！ 問題は消費の導線ができてないということだけです。特に日本語ができない、漢字が読めない欧米豪の人々にとっての消費ハードルがとても高いのです。例えば、一見さんのビジターに露天風呂に入ってもらおうとすることは、ハイキングをしたことのない方に「エベレストに登れ！」と言っているようなものなのです。今まで日本人という超常連客に出してきた情報を、そのまま英語や多言語に訳し発信すれば良さそうなものですが、実は日本人向けの情報は、一見さんの外国人ビジターにとってハードルが高すぎるのです。

この問題を解決に導く方法を、みなさんにお伝えいたします。一言で言うと、外国人ビジターという一見さんのために、言語化を徹底し、ハードルを下げればいいのです！ そして、日本語が少しだけできるようになった方は少しばかりディープな体験ができるようになります。また、その外国人が長期滞在の居住者となれば、日本人同様に日本のコンテンツをこなすことができます。段階に分けてのハードル調整を試みるようにするのが本書の趣旨です。外国人ビジターを３タイプに分けて、言語化と説明で消費への導線を作るのです。レベル別に導線ができると、外国人ビジターは、それぞれのレベルにあった日本をエンジョイできます。「１, ２, ３ツーリズム法則」がこの言語化と導線作りのネーミングです。是非ご参考いただき、観光客へのおもてなしを強めることで、Win-Win 状態をゲットしましょう！

Ruth Marie Jarman

CONTENTS

第1章
1, 2, 3 ツーリズム法則のおもてなし
現場&フォローアップ編 9

第2章
1, 2, 3 ツーリズム法則のおもてなし
インターネット編 183

How to use this book
本書の利用法

●本書は全2章構成です。1章は、おもてなしの現場での施策や英会話を、2章は、来日前の潜在顧客をキャッチするホームページ作りの重要ポイントを学べます！

第1章：現場&フォローアップ編

3つのステップが基本！

❶ルーシー先生のレクチャー

●CDのトラック番号。ルーシー先生によるレクチャー音声付！

●ルーシー先生発明の「1, 2, 3ツーリズム法則」を使った"真のおもてなし"がわかるレクチャー。音声で聞くだけでも概要がわかる！

❷1, 2, 3レベル別の対応策

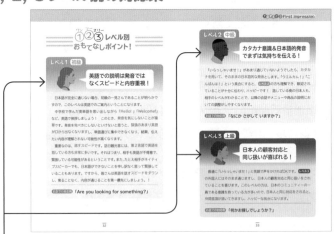

●訪日観光客の日本理解度レベル別の具体的な施策。今日から実践できる！

❸おもてなし英会話

●ゲスト（男性・外国人）とスタッフ（女性・日本人）によるダイアログ
例文を使って、実践力を鍛える！ CD内「スタッフ」の音声は、実際の
現場を想定したスピードになっているので超リアル!!

第2章：インターネット編

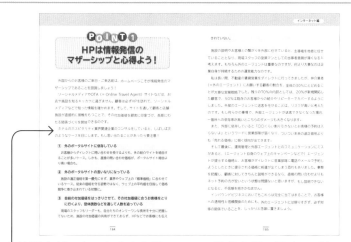

●外国人が日本のお店や施設について情報を得る最大の手段＝インター
ネットのホームページ。外国人のお客様を増やすためのカスタマイズ術
がわかる！

音声・ダウンロードについて

【ダウンロード音声の内容】

★第1章の「ルーシー先生のレクチャー」と「ダイアログでやってみよう！ おもてなし
英会話」が音声で収録されています。聞いて、話して、実践力をアップしましょう！

【かんたん！ 音声ダウンロードの手順】

STEP1 インターネットで
「https://audiobook.jp/exchange/jresearch」
にアクセス！

※Ｊリサーチ出版のホームページ」（http://www.jresearch.co.jp）にある
「音声ダウンロード」のバナーをクリックしていただくか、上記のURLを入
力するか、右上のQRコードを使用してください。

STEP2 表示されたページから、audiobook.jpへの会員登録ページへ。

※音声のダウンロードには、オーディオブック配信サービスaudiobook.jp
への会員登録（無料）が必要です。すでに、audiobook.jpの会員の方
はSTEP 3へお進みください。

STEP3 登録後、再度 **STEP1** のページにアクセスし、シリアルコードの
入力欄に「24697」を入力後、「送信」をクリック！

※作品がライブラリに追加されたと案内が出ます。

STEP4 必要な音声ファイルをダウンロード！

※スマートフォンの場合は、アプリ「audiobook.jp」の案内が出ますので、
アプリからご利用ください。
※PCの場合は、「ライブラリ」から音声ファイルをダウンロードしてご利用くだ
さい。

〈ご注意！〉

● PCからでも、iPhoneやAndroidのスマートフォンやタブレットからでも音声を再生
いただけます。

●音声は何度でもダウンロード・再生いただくことができます。

●ダウンロード・アプリについてのお問い合わせ先：
info@febe.jp （受付時間：平日の10時〜20時）

第1章

1, 2, 3 ツーリズム法則のおもてなし
現場&フォローアップ編

「1, 2, 3 ツーリズム法則」とは何ぞや？から始まって、温泉や日本食、ショッピングや道案内など、イントロダクション＋18のトピックごとに、訪日観光客をリピーターにする "真のおもてなし術" を大公開！　今日から取り組める、始められることが満載です！

Photo: mitch23 / PIXTA (ピクスタ)

「1, 2, 3ツーリズム法則」って何?

CD 01

潜在顧客を消費に結び
つける「1, 2, 3ツーリ
ズム法則」とは!?

Photo: taa / PIXTA (ピクスタ)

● 訪日の人数は増加しているのに 消費額が上がらない…Why?

インバウンド
の現状と課題

　観光庁のデータなどを見ていると、訪日観光客の数は増えているのに、消費額がそれほど増えていません。なぜでしょうか?

　私の実感としては、潜在顧客が日本のコンテンツを十分に理解できていないことに大きな原因があると思っています。つまり、供給側の持つコンテンツの良さと需要側のアンダースタンディング(理解)の間に大きな溝があるという

ことです。

なぜそのような溝が生じるのかと言えば、外国人ビジターの What is this?（これは何ですか？）という問いかけに、供給側が適切に答えられていないということが原因です。

では、この状況を解消し、消費を増やすにはどうすれば良いのでしょう？

● What is this? にきちんと 答えなかった医者が失ったもの

ちょっと 残念な事例

ここで、私が経験したことについてお話します。

高知県のお土産売り場に行ったときのことです。その時は、初来日の友人と一緒でしたので、当然、それぞれの商品を指して「What is this?」の連発です。

その時ふと、私が昔、日本で皮膚科に行ったときのことを思い出しました。

診察後、ラベルのない小さな容器に入った薬を渡されたので、「What is this?」と先生に尋ねました。すると、「塗り薬です」という答えだけが返ってきたのです。塗り薬だということは見てわかりましたので、続けて、「Um. What kind of cream?（どのような塗り薬ですか？）」と聞き直すと「塗り薬だよ」と繰り返すばかり。私は薬の成分が気になったから聞いているのに、私の意図を読み取れなかったのか、外国人に説明するのが面倒だったからなのか、それ以上の情報はもらえず、**少し不親切に感じました。**

もっとも、このこと自体はかなり昔の出来事で、当時は人口減少の問題もそれほどピンチではなく、医療機関は特に来院者不足ではなかったのでしょうから、外国人の患者が大歓迎されなかったことはよく理解できますし、先生は、私がすぐに国に帰るだろうと思って、あまり丁寧な対応をしなかったのかもしれません。ですが私はもう31年も日本にいますので、今考えるとその**説明不足が長期の顧客（＝私）を失う**結果となってしまったわけです。このように、説明不足でお客様を失うのは、もったいない話ですよね。

もし、皮膚科での会話がこうでしたら、非常に親切に感じたと思います。

※は医師、は私です。

◎パーフェクトな皮膚科

What is this?
これは何ですか？

☞基礎知識がないことを供給者はキャッチ！

It is a cream for your skin.
皮膚のための塗り薬です。

Oh. What kind of cream?
どんな塗り薬ですか？

It has a little steroid inside.
ステロイドが少し入っています。

☞答えようとしてくれている気持ちが相手に伝わります。

Shall I print out the name for you
in English? Would that help?
英語でその名前を書きましょうか？ 役に立てるのかな？

☞プラスアルファの情報はたいへんありがたい！

Oh, that would be very nice of you.
書いていただけたら、たいへん助かります！

So this is the name of
the medicine in English.
では、こちらが薬の名前です。

Thank you, I can check about this
medicine with my doctor in Hawaii.
Thank you so much. I feel much better.
ありがとうございます、ハワイにいるかかりつけのドクター
に確認できます。どうもありがとうございます。安心しました。

You're welcome. Please come back again any time.
どういたしまして。いつでもまたいらしてください。

I will.
もちろんまた来ます。

☞常連客化、成功！

● なぜ、これまでの情報発信が　ダメだったのか

おもてなしが相手に合っていなかった！

　たとえば、土産物店でその土地の名物のお菓子を指さして、それが何なのかを聞いてきた観光客に対して、こんな対応をしてしまってはいないでしょうか？

　※👤＝ゲスト、👩＝売り手

What is this?
これは何ですか？

It is a snack. From Kochi.
高知県のお菓子です。

☞土地の銘菓をそのままsnackで英訳しているだけです。インパクトに乏しい！

Oh.
なるほど。

　これまでの情報発信策のほとんどはこのように、（私も皆様も）日本人のお客さん向けの内容をそのまま英訳したものを発信し、外国人ビジターの日本理解度レベルを考慮に入れず、理解してもらおうとしてきました。

　日本人向けの情報をそのまま英訳するだけですと、「日本通」という、（全国で増加傾向にはあるものの）260万人の外国人にしか届きません。

13

この日本通の外国人とは、すでに日本に住み、日本語がある程度分かり、お箸も使える人たちを指します。この方々は、外国人誘客策において、いちばんラクなノンジャパニーズのお客様です。国内の観光や消費活動において、特別な英語化などを不要とする、「上級者」であるからです。

しかし、「上級者」の外国人は、消費力を期待できる訪日外国人観光客ではありません。確かに、長期滞在の外国人（上級者＝ レベル3 ）と中期滞在の外国人（中級者＝ レベル2 ）は、他の外国人、特に初来日の訪日観光客（初級者＝ レベル1 ）への広告塔の役割を果たしてくれます。

確かにそれはとてもありがたいのですが、お店や自治体の売り上げ向上のためにはやはり、日本が2030年までに達成しようとしている、年間6000万人の「 レベル1 ＝初級者・一見さん」グループに入る訪日外国人観光客への対応が第一優先で、さまざまな場面での説明力アップは我々にとっての急務だと言えるでしょう。

● 全ての潜在顧客に届く、
1，2，3ツーリズム法則！

みんなハッピー！

皆様の玄関口に、より多くの「初級レベル」のビジターにお越しいただき、浴衣や伝統工芸品などをはじめとする様々なサービスと体験にお金を落としていただくためにはまず、提供しているものやサービスの内容を理解してもらえるような体制を取らなければなりません。

つまり、外国人向けの対応、説明と言語化強化作戦です！

そしてその際に、外国人の日本についての認知度を配慮することが非常に重要になってきます。 レベル1 ：初級、 レベル2 ：中級、 レベル3 ：上級というそれぞれの目線に立ってコンテンツを説明し、消費への導線を引いていきます。潜在顧客である外国人のレベルに合わせたこの戦略こそが、私ルーシー発案の「1，2，3ツーリズム法則」なのです！ では、具体的に説明しましょう！

①②③ レベル別
おもてなしポイント！

レベル1 初級

> ### Beginner with No Japanese Language

- 初来日

  訪日外国人観光客が中心
  （一番増えている、もっとも消費をしてくれる＝売り上げアップが期待できる！）

- お箸よりもフォーク

- 座布団よりも椅子

- 普段はシャワーを利用するので、お風呂は特別な時のみ（バブルバス
  やスペシャルリラックスタイムなど）

説明ポイント

- What is this?（これはなんですか？）と聞かれたら、「ものとひとつの
  特徴」を加えるだけで十分。

  例 **It is a biscuit snack called Mire Biscuit.**
  ビスケット菓子で、ミレービスケットと言います。

  It is very popular in Kochi Prefecture.
  高知県では人気のお菓子です。

- このグループは非日常を求めています。例えば「日本人が好きなものを
  食べてみたい！」という人の場合は、このように「高知県での人気ビスケッ
  トだ」と伝えると「食べておかないと損！」という気持ちになります。

Intermediate Level and Some Japanese Language

- 訪日リピーターや海外在住の日本大ファン。あるいは日本に3～4年住んでいて、日本語能力試験のレベルは2～3級（日常レベル）留学生や日本に2～3年の勤務をしている方が中心（将来の従業員や取引先になる可能性があるため大事にしたいグループ＝将来を担う！）。

- 箸は使えるが、ざるそばの薬味とお漬物の区別がつかないため、両方をそのまま口に入れたり両方をざるそばのつゆに入れたりする可能性が高い

- 座布団OKだが長時間はNG。ヨガをやっていても長時間の床座りだと辛くなる

- 大浴場や銭湯に入ることはできるが、緊張し、避ける傾向がある

説明ポイント

- What is this?（これは何ですか？）と聞かれたら、「ものの説明とプラスアルファの一言豆知識」を伝えるといいです。

  例 **This is called Mire Biscuit.**
  これはミレービスケットと言います。

  It is popular in Kochi and has been around since the 1930s!
  高知では1930年ごろから愛されているお菓子です。

- このグループは消費に加えて、宣伝等の役割も果たしてくれます。豆知識を得られれば、ほかの方への宣伝のネタもでき、本人もハッピー！

レベル3 上級

Advanced Level with Adequate Japanese Language

- 日本在住・訪日のヘビーリピーター

  長期滞在の日本通が中心（広告塔になったり、リピーターになったり、海外からの来日客の相談をたくさん受ける層。自社の営業マンを大事にするのと同じく大事にしたいグループ＝営業マン・宣伝マンになってくれる！）。

- 麺類でもお箸OK！　出汁が鰹か昆布かを知りたい

- 座布団に長く座れるけど、長時間の正座は苦手

- お風呂や露天風呂は日本人同様に愛する

説明ポイント

- What is this?（これは何ですか？）と聞かれたら、「ものの説明と勉強になるストーリー」を伝えると効果的。説明は日本語でも大丈夫！

  例 This is known as Mire Biscuit and has been popular in Kochi since the 1930s.
  こちらはミレービスケットというお菓子で、1930年ごろから高知でたいへん人気のあるお菓子です。

  It is made in the same oil as a bean snack so it has a very unique, rich flavor.
  豆を揚げる時と同じ油を使っているため、独特の深い味わいが特徴です。

- 長期滞在者で日本通であるため、来日されるファミリー・友人・取引先などの幹事的立場になることが多いです。日本について、他の外国人に教える機会が多いので、知ってほしい付加価値情報を伝えると喜ばれるでしょう。

おもてなし接客英会話

高知のお土産店でミレービスケットを指さしている観光客を想定し、それぞれのレベルに合わせたご案内の英会話を見てみましょう。

= ゲスト、 = あなたです。音声を聞いて、真似して言ってみましょう。ロープレにも取り組みましょう。Let's do this!

◎レベル１：一見さんへの応対

> What is this?
> これは何ですか？

☞高知の基礎知識がないことをキャッチ！

> Oh, this is a snack cracker from Kochi called Mire Biscuit. It is really good. Especially good with milk. Kind of like Ritz crackers for Kochi.
> 高知県の有名なお菓子で、ミレービスケットと言います。とても美味しいですよ。特に冷たい牛乳と一緒に食べるとね。高知のリッツクラッカーみたいなものです。

☞プラスアルファの情報でよりリアルに！

> Sounds yummy. Are there single packs or only sold in packs of five?
> 美味しそうですね。売り方は5個パックのみですか？シングルパックはありませんか？

☞消費の具体的な相談をゲット！！

> Here we have single packs. Not so heavy.
> こちらがシングルパックです。あまり重くないです。

> Right. Okay, I will take three of these.
> そうですね。じゃ、3つください。

> Thank you very much!
> どうもありがとうございます！

☞クロージング成功！

◎レベル２：中級者への応対

 What is this?
これは何ですか？

☞高知の基礎知識がないことをキャッチ！

 Oh, it is called Mire Biscuit from Kochi.
Kind of like Ritz crackers but not as salty.
あ、それは高知県のお菓子で、ミレービスケットと言います。
リッツクラッカーに似ていますが、あまりしょっぱくないですね。

 Can we try one?
試食はできますか？

☞日本の土産店では試食ができる場合が多いことを、
この方が知っているとキャッチ！ 日本をある程度知っている証拠です。

 No we don't have tasting for this, but
it tastes really good with tea or milk.
You can get this pack of five and then
share it with your family or friends.
そうですね、試食はやっていませんが、牛乳やお茶と召し上が
ると本当に美味しいです。
５パックご購入いただくと、ご家族やお友達とシェアできます。

☞言語化を通して、お店のルールを親切にキープできた！

 Okay, I'll take three of these packs.
なるほど、では5個パックを3つください。

 Thank you!
ありがとうございます！

☞言語化と気配りでクロージング成功！

◎レベル3：上級者への応対

What is this?
これは何ですか？

☞高知の基礎知識がないことをキャッチ！

Oh, these are Mire Biscuit. They are from Kochi and have a special place in the hearts of locals.
こちらはミレービスケットです。高知県の名物で、高知県民が大好きなお菓子です。

☞日本語で聞かれる可能性もあります。少しディープなローカル情報を提供。

Really? What is special about them?
そうですか？ そのスペシャルなところは何ですか？

People like the crackers so much, they used to be sold one by one! They are also cooked in the same oil used to make bean snacks, so the taste of the biscuits is very unique.
多くの人が昔から大好きなビスケットであり、（子供でも買えるよう）１枚１枚をばら売りするような時代もありました。そして、豆を揚げる油と同じ油で揚げているため、独特の深い味わいがあります。

☞レベル3の方々には歴史的背景や作る工程情報が刺さります！

Wow, that is very interesting.
I did not know that.
そうですか、面白いですね。知りませんでした。

They taste great with milk or tea.
牛乳でも紅茶でも合いますよ。

Okay, I think I will buy five of these family packs. I'm sure everyone in my kids' school will love them.

そうですね、じゃあ、ファミリーパックを5つください。子供の友達も大好きになると思います。

Thank you!
ありがとうございます！

☞ 背景情報提供と気配りでクロージング成功！

　このように「1, 2, 3ツーリズム法則」を使ってビジターのレベルに合わせて説明をすると、次につながる顧客満足度を実現できます！　まとめると…。
◎ レベル1 （一見さん）は、買い物が「体験」となりいい思い出となる！
◎ レベル2 は、新しい味わいを知ってもらうことで「新しいファンづくり」につながる！
◎ レベル3 は、商品の説明が相手の記憶に残る内容で、「面白い」と思ってもらえれば、ほかの外国人の方々への「広告塔」となる可能性が高くなる！

Irasshaimase
いらっしゃいませ

まずは「1，2，3ツーリズム法則」基本の基本から始めましょう！

Photo: polkadots / PIXTA（ピクスタ）

● 相手の見た目で対応を変えるのは、一見親切そうに見えますがNGです！

日本人がついやってしまいがちなこと

　「1，2，3ツーリズム法則」の必要性を改めて実感できたのは先日、訪日外国人観光客の多い鎌倉で、有名なコーヒーチェーン店にいつものように娘と一緒に行った時でした。「 レベル3 （長期滞在、日本語ほぼ大丈夫）」の私に対する日本人スタッフの対応に抱いた違和感がきっかけでした。

　私の前にいた日本人のお客様への対応では「少々お待ちください」と対応し

ていたのが、私の"外国人的な"見た目を乗り越えることができなかったようで、「ちょっと待ってくださいね」というくだけた対応になってしまったのです。さらに、会計後の「お飲み物はあちらのカウンターでお渡しいたします」という案内は、私には「飲み物はあっちにある」という、すごくフレンドリー（？）な言い回しに。とても雑な感じがして、お客さん扱いされていないように感じましたし、歓迎されている感じは全くしませんでした。厳しい言い方かも知れませんが、このような馴れ馴れしい対応では、自分の友達にはすすめたくない気持ちになってしまいます。

　また、外国人に対してきめ細かい日本的なおもてなしをしようということで、「アジアの方がインフォメーションデスクにお越しになった際には、最初から"ニーハオ"と言った方がいいですよね？」と聞かれたことがありました。その方の会社には中国からの訪問客が多く、彼らに喜ばれる挨拶をして差し上げたいという気持ちはわかりますし、とても素敵な話ですが、これが実は逆効果で、大きな問題を招いてしまう可能性が大なのです。

■ 見た目だけで相手の国籍を決めつけていることになる。間違いだとしたらまずいです！

　中国の方に見えても、中国籍、中国語ができるとは限りません。中国系アメリカ人かもしれないし、アジアの他の国の方である可能性もあります。最初から中国語で声をかけると「あなたは中国人」と決めつけていることになります。要注意。

❷　初期対応を難しくしていることになる。国別の対応は、きりがありません！

　外国人対応マニュアルを作るにしても、「相手がフランス人に見えるなら、ボンジュール」「相手がドイツ人に見えるならグーテンターク」…のような調子で、何も言われないうちに相手の国籍を判断しないといけないことになってしまいます。そもそも見た目で国を判断するのは難しいですし、相手の気持ち

を考えるとリスキーですね。(例えば私は根っからのアイリッシュ系アメリカ人ですが、歌手のヒデとロザンナのロザンナさんにそっくりと言われる見た目なので、日本人からは「イタリア人でしょう?」と言われます)。

● 見た目ではなく「レベル」で対応 まずは「レベル3」で完璧な滑り出しを!

そこで「1,2,3ツーリズム法則」で私が提案する鉄則は、こうです。

「全てのお客様に レベル3 で対応を開始するべし!」

つまり普通に「いらっしゃいませ」と言ってみるということです。相手の日本のレベルや国籍など、いろいろ最初から考えてしまうと、緊張のあまり、もっとも肝心な「親切な対応(笑顔など)」ができなくなります。外国人は、自国(もしくは別の国)の言葉で挨拶されたり、緊張した表情のスタッフに雑な日本語を喋られたりするよりも、笑顔で「普通に」扱ってもらえた方がウェルカムな印象を抱きます。まずはこれを念頭に置いてください。

そして、現場スタッフに次のような「1,2,3ツーリズム法則」のトレーニングを行えば、外国人への対応が明確になります。

STEP1 最初は日本人と同じ
⇒「いらっしゃいませ!」

STEP2 通じていないようなら、よりシンプルに
⇒「こんにちは!」「こんばんは!」

STEP3 それでも日本語が通じなければ、片言でも大丈夫ですので、中学校や高校で習った英語を頼りにし、英語対応を頑張る!
⇒「ハロー。メイ アイ ヘルプ ユー?」

先ほど出てきたコーヒーチェーン店であれば、以下のような対応ができるようになります。いつも頭に入れないといけないのは レベル3 =日本人と同じ、レベル2 =シンプル日本語、レベル1 =ノー・ジャパニーズということです。

STEP1 「いらっしゃいませ、ご注文いかがでしょうか？」
🔊最初は **レベル3** を前提に日本人同様の対応を。

⬇ （通じていないようだ…）

STEP2 「こんにちは。オーダーしますか？」
🔊シンプルバージョンの日本語にチェンジ。

⬇ （まだ通じていない…）

STEP3 「ハロー、メイ　アイ　テーク　ユア　オーダー？」
🔊中高で学んだ英語の出番です！

この最初の入り口で、相手のレベルが判明したら、それぞれ次のように対応していけば間違いありませんね！

レベル1 ：**日本語は通じないため、英語対応が必須**

「Just a moment please. Do you need a receipt?
We will pass you your drink from the counter over there.
Please come again.」

レベル2 ：**少しシンプルな日本語で**

「ちょっと待ってください。レシート　いりますか？　ありがとうございます。では、ドリンクはあっちから渡します。ぜひ、また来てください」

レベル3 ：**日本人への対応と同じ**

「少々お待ちください。レシートは必要ですか？　ありがとうございます。では、お飲み物はあちらのカウンターでお渡しいたします。またのお越しをお待ちしております」

● 英語か…と苦手に思っている人へ

まず、英語はコミュニケーションのためのツール、道具にすぎないということを、念頭に置いてください。

また、日本人はとてもしっかり英語を勉強していて、語彙力と文法の知識は**抜群**です！ そして、以下の理由で皆さんには、英語力に自信を持っていただきたいです！ これは外国人を代表して言わせていただきます。我々はみなさんのこと、すごく応援しています！

英語のポイント1 ネイティブスピーカー同士でも通じないことは多々あります。方言があったりするので、同じ英語ネイティブの英語を聞き取れないことが、私にもよくあります。「**Please repeat much more slowly.**（もう少しゆっくり目でリピートしてください）」と、何度も聞いてOKです。ネイティブ同士でも日常的なやりとりです。

英語のポイント2 正しい英語よりもハートとスマイルが大事です。完璧な英語よりもスマイルとハートで、やさしいカタコトの英語を話してくれた方がありがたい！

英語のポイント3 第2言語として英語を話す人間は、世界のマジョリティであること。世界トップで話されている言語は中国語、その次はスペイン語で英語は3番目（2019年調べ）。ホスピタリティにおいては共通語となっている英語ですが、自分だけじゃなく、相手も第2言語で話している可能性があります。相手もネイティブではないので、お互いの気持ちがわかり、お互いを応援しあうことができる。日本人側も英語をゆっくり話す気配りが必要ですね。

**英語の
ポイント4**　海外からくる全ての人は日本人の完璧な英語を期待していない！ そうです！ 訪日観光客は当然、日本は日本語が基本であるとわかっています。ですから英語に間違いなどがあっても気にしませんし、むしろ英語で話そうとしてくれていることがとてもありがたいのです。逆に自分たちが日本語ができず、申し訳ないと思っていることだってあります。私も1年間に数十回の講演を日本語で行いますが、自分の日本語がもっと上手だったらいいのに…といつも緊張し、心配しています。ですが、聞いている側の日本人は、私の日本語を裁くことなく一生懸命に私が伝えようとしていることをくみ取ろううとしてくれます。外国人のほとんども、これと同じ思いです。

**英語の
ポイント5**　海外からくるみなさんは、日本人のストーリーやコンテンツに興味があるわけで、日本人の英語レベルを知りたいわけではありません。外国人にとって、日本はミステリーです。なんで畳がいいのか？ お寿司とお刺身の違いはなんなのか？ 他の人と裸になって一緒にお風呂に入れるのはどうして？ 背もたれを倒す前に後ろの方に声をかける理由は？ お寺に龍が描かれているのはなぜ？ どうして森林がスピリチュアルなの？ などなど。日本人のマインドとハートに興味津々。英語はその日本と日本人らしさを伝えるための「ツール」です。

ですからどうぞ、英語に自信を持ってください。また、毎回の英会話が一発勝負と思わなければ、外国人と英語で関わるたびに上達していきます。「今回の英会話は次回のための練習だ」と思えば、勇気が湧いてきますよ。英語や英会話を頑張るということではなく、英語という道具を使って、外国人とのコミュニケーションを頑張っていただきたいと思います。

TOPIC 2
First Impression
ご挨拶

CD 04

> それではさっそく、日本人が誇れる元気な挨拶でスタートしましょう！

Photo: Fast&Slow / PIXTA（ピクスタ）

●「レベル1」で始まった日本生活

ルーシーも最初はレベル1！

　私は1988年に株式会社リクルートに入社しましたが、ビザの関係で4月1日ではなく、12月1日が入社日となりました（同年の11月に創業者の江副浩正氏が逮捕され、いわゆる「リクルート事件」勃発中の入社でした！）。

　当時の私は文字通りの「一見さん　レベル1 」だったため、日常会話についていくのが精一杯で、ビジネス日本語ということになりますと、ほぼ「ゼロ理解」な状態でした。

　本社総務部の配属となった私に、マネージャーが英語っぽいゆっくりとした日本語でこう言いました。

「ルーシー。だいじなはなしあります。ラストマンス（先月）カイシャのトップがたいほされたため、わたしたちはとてもバタバタしています。あなたのフォローをするひとがいないのであせらないでとにかく座って、心配しないでぜんぶが勉強とおもってください」

　📖 ひらがなが多いのはマネージャーが一生懸命にスピードダウンで私に話しかけてくれたことを表しています。 レベル2 や レベル1 の人に話すときに、こういう工夫をするとより通じやすくなりますよ！

●「ラジオ体操担当」で見えたこと

ある日本企業の変わった試み

　日本語が不自由であるため、同期と同様の仕事ができないこともあって、最初に与えられたのは元気づけのための「朝体操の担当」という仕事だったのですが、その時点で私は日本の「体操」という文化のことを、全く知りませんでした。ですから、子どもからご高齢の方までみんなが同じ体操の音楽で、同じ動きができると知った時はとても驚きました！

　英語の歌を教えながら、エアロビクスのインストラクターをやった経験を活かして、各営業所を巡回する体操担当を半年ほどやりました。何年か経ってわかったことですが、事件中にはさまざまな困難があったそうです。というのも、当時は社員のモチベーション低下だけでなく、若い社員のご両親が心配して問い合わせてくるなどの混乱もあり、また当然ながら営業成績も打撃を受けている状態でした。そういう逆境の中で、私という新入社員の強みを見極め、英語とチアリーダー（高校と大学でチアをやっていたのです！）の経験を活かし、この体操企画を考えた総務部はすごいと思います。

　朝の体操係なんて、意味のない仕事だと思われてもおかしくないのですが、チアのユニフォームを着てカタコトの日本語を話す若いアメリカ人と各営業所のメンバーたちが体操をしている不思議な空間は楽しかったですし、みんなで笑えるひとときでもありました。この不思議な空間が、あまりにも訳がわから

なすぎて楽しくなった人も少なくなかったと、後になって聞きました。そして
この活動の中心人物になったことで、**現場に出る大切さ**を実感でき、辛い時で
も身体を動かして一緒に盛り上がることで**一体感が出る**という学びもできたよ
うに思います。

● 日本的な挨拶にびっくり

日本人
あるある!

そうやって朝体操担当として現場に行くうちに気が付いたのは、日本人が入
口・出口での挨拶を大切にしているということでした。

まず、フロアに入ると大きな声で「おはようございます！」と言います。そ
して電話に出ると「お電話ありがとうございます。リクルートでございます！」
と挨拶する。転送されてきた電話に出ると「まいど！　○○です！」と名乗る
先輩もいましたし、関西ご出身の部長はフロアに入ってくると「おはようさ
ん！」と大きな声を発する。退社する時も「お先に失礼します！」、電話の受
話器を静かに置く前には「ありがとうございます。失礼いたします」。1日の
仕事を終えた仲間には「お疲れ様です！」など、実にさまざまな場面での挨拶、
声がけ、決まった一言のやり取りが、日本人の生活には大切な要素なのだとい
うことがわかってきました。

● お客さんが「ありがとう」と言う国

外国人は
びっくり!

会社でなくてもお店に行くと「いらっしゃいませ！」と元気よく声をかけて
くれますし、帰るときは大きな声で「ありがとうございます」とスタッフ全員
での見送りがあります。アメリカですと「Hi」とスマイルでスタッフから歓迎
の声をかけられることはありますが、キッチンにいる人も含め、スタッフ全員
で「Welcome!!!」と大きな声で言われたことはありません。

さらにびっくりしたのは、お店を出るときにお客さん自身のほうでも「あり
がとうございます」（や「ごちそうさま」）と言うのですね。これもまたまたの

驚きでした。お客さんが「ありがとう」と言うの!? 凄い!

　私自身も日本で生活してきたこの31年間で、お店を出るときに「ありがとうございます」と言うようになりました。あまりにも気持ちがいいもので、海外でもお店から出ようとする際に「Thank you very much!」と言ってしまいます。すると、海外の店員さんは驚きのスマイルをしながら、同じく「Thank you very much!」と返してくれてすごくいい雰囲気になります。人間はどの国籍であっても「ありがとう」が好きですね。そして、元気よく挨拶されるとどの人でも挨拶を返したくなります。

● 日本的な挨拶文化を世界に発信しよう！

　体操は日本全国で共有できる楽しみだと思いますが、「挨拶」は全世界の人々が共有できる、とても気持ちのいい活動だと実感します。日本的なおもてなしの中でも、是非とも日本的な挨拶体験を、１，２，３のレベル別で考えて、訪日観光客の皆様に伝えていきましょう。

　海外では、お店に入るときやインフォメーションデスクやホテルのフロントに近づくと、スタッフは「May I help you?（お役に立てることはございますか?）」と言います。日本はその前段階の「Welcome!（いらっしゃいませ!）」を元気よく言いますね！

　この「いらっしゃいませ！」文化は、そのままキープしていきたいですね！

①②③ レベル別 おもてなしポイント！

レベル1 初級

英語での説明は発音ではなくスピードと内容重視！

　日本語が完全に通じない場合、初級の一見さんであることが明らかですので、このレベルは英語でのご案内ということになります。

　中学校で学んだ英単語を思い出しながら「Hello! 」「Welcome!」など、英語で挨拶しましょう！　このとき、発音を気にしないことが重要です。発音を完ぺきにしないといけないと思うと、緊張のあまり英語が口から出なくなりますし、単語選びに集中できなくなり、結果、伝えたい内容が理解されない可能性が高くなります。

　重要なのは、話すスピードです。訪日観光客には、第2言語で英語を話している方も非常に多いです。それはつまり、相手も英語が不得意で、緊張している可能性があるということです。また、たとえ相手がネイティブスピーカーでも、日本語ができないことを申し訳なく思って緊張していることもあります。ですから、皆さんは英語を話すスピードをダウンし、焦ることなく、内容が通じることを第一優先にしましょう。！

お店での対応例 「Are you looking for something?」

レベル2 中級

カタカナ意識＆日本語的発音でまずは気持ちを伝える！

「いらっしゃいませ！」があまり通じていないようでしたら、**カタカナ**を用いて、そのままの**日本語的な発音**とします。「ウエルカム！」「こんばんは！」という具合にすると、 レベル2 の方も理解でき、歓迎されていることが十分に伝わり、ハッピーです！ 話している側の日本人も、相手のレベルがわかることで、以降の会話やメニューや商品の説明においての調整がしやすくなります。

お店での対応例 「**なにか さがして いますか？**」

レベル3 上級

日本人の顧客対応と同じ扱いが喜ばれる！

普通に「いらっしゃいませ！」と笑顔で声をかければOKです。 レベル3 の外国人にはそのまま通じますし、日本人の顧客対応と同じ扱いをされていることを喜びます。このレベルの方は、日本のコミュニティの一員である意識を持っている方が多いので、**日本人と同じ対応をされると、仲間意識が湧いてきますし、ハッピーな気分になります。**

お店での対応例 「**何かお探しでしょうか？**」

100%英語での案内が必要な レベル1 のゲストを想定したダイアログです。■＝ゲスト、■＝あなたです。音声を聞いて、真似して言ってみましょう。ロープレにも取り組みましょう。Let's do this!

◎土産物店にて

Are you looking for something?
何かお探しでしょうか？

Yes. Do you have anything that is special to this area?
はい。このエリアの特産品はございますか？

Yes, this corner is full of locally crafted, handmade products.
こちらのコーナーは全部地元産の手作りのものです。

Really? Oh this is lovely. What is this for?
そうですか。あ、こちらは素敵ですね。なんのためのものでしょうか？

That is called a meishi-ire. Business card holder. To hold business cards.
それは名刺入れと言うものです。名刺を入れるためのものです。

◎素材の説明

What is it made of?
なんの素材で作られているのでしょうか？

It is actually made from shark skin caught near here. It is a way to make sure the whole fish is used. Not to waste anything.
こちらの近くでとったサメの皮でできています。お魚を無駄にしないで全部使うため、皮膚を活用しこちらを作っています。もったいない事はしたくありませんからね。

Wow, that is really nice to hear. I like that.
そうですか、大切な考え方です。気に入りました。

◎値段について

The price is tucked in here. About 50 USD.
こちらのポケットに値札が入っています。約50ドルです。

 Okay great, I would like three of these.
いいですね。では、こちらを3個ください。

Thank you.
ありがとうございます。

◎包装しますか

Shall I wrap them as gifts?
ギフトとして包装しましょうか？

 Yes, please wrap two and I will keep one for myself.
はい、2個を舗装してください。残りの1個は自宅用です。

Good, I hope this becomes a good memory of Japan for you.
いいですね、日本の良い思い出の品になれば、何よりです。

 I'm sure it will. Thank you for your help.
その通り！ 色々手伝ってくれてありがとうございます！

My pleasure.
喜んで！

TOPIC 3
Shopping
買い物

「爆買い」のブームは 一段落しましたが、ショッピングは訪日観光客の大きな楽しみ。リアルな経済効果が狙えます！

Photo: Fast&Slow / PIXTA（ピクスタ）

この TOPIC で
できること！

● 買う側も売る側も満足！という流れを作ろう！

　特に欧米豪からの訪日客についてのデータを見ると、「伝統工芸品を購入したい」という方が多くいらっしゃいます。

　私の実家のハワイでの状況をお話ししますと、ハワイの伝統工芸品（ウクレレ、フラ関連のグッズ、コアウッドの食器や製品など）は現地の人も購入しますが、観光客もたくさん購入してくれます。観光客の消費力がハワイの伝統工芸品市場を守っていると言っても間違いはないと思います。その経験が背景となって

いるため、これからの日本においても、訪日外国人観光客の消費活動によって、さまざまな伝統工芸品の市場そのものと、これらの産業に携わる職人の皆様を、守ることができると確信しております。

　日本らしい挨拶のひとことから歓迎の雰囲気でスタートし、1，2，3ツーリズム法則の考えに沿って、訪日観光客に満足してもらいつつ、日本のものが適正価格で売られるような流れを構築しましょう！

● 日本語での説明文にふりがなをふる！

　日本に長く滞在している レベル3 の外国人でも、日本語の読み書きが不得意な人はかなりいます。英語の先生だったり、外資系企業で働いていたりするなど、日本語の読み書きがさほど必要ではない環境にいる レベル3 の人たちは、漢字が多ければ多いほど日本語文の理解に苦しみます。また、 レベル1 と レベル2 の相談相手になりやすい レベル3 の方々に理解してもらえなければ、当然、その良さを伝達してもらうことはできません。ですので、まずは レベル3 の外国人に理解してもらうことを目指して、英語対応に突入する前に日本語のシンプル化に努めましょう！

　まずは既存の日本語説明にふりがなをつけるところからスタートしましょう。

●「レベル3」は日本人と同じ対応が基本

　1，2，3ツーリズム法則の基本ルールどおり、 レベル3 の方への接客は、基本的に日本人への対応と全く同じ方がいいです。日本に長く住んでいる外国人は、「普通に扱ってほしい」と思っている人が多いのです。

　レベル3 の中には、苦労せずに日本人向けの通常のパンフレットでの説明をスラスラと読めて理解できる方も少なくありません。ですので、日本人と同様の案内（にふりがなをつけたもの）を提示すれば、相手のプライドを傷つけることなく、手に取ってもらうことができるでしょう。これは大事なポイント

です。ただ、漢字がそこまで得意じゃないという レベル3 もけっこういらっしゃいますので、商品やサービスの特長や由来を、よりシンプルな日本語で書いたバージョンも用意すれば完璧です。繊細な日本らしいおもてなしの心があるからこそ、こういう気遣いができると思います。頑張りましょう！

● 商品ラベル（説明）を活かす！

日本語の商品ラベルやHPを読むと、実に豊富なストーリーを伝えていることがわかります。そういうストーリーを、１，２，３のレベルに分けて工夫し、誘致力のある英語に訳すだけで、素晴らしいスタートが切れると思います。

今までの国内観光は主に日本人が占めていたので、日本人向けの体制になっていること自体は不思議なことではありません。逆に日本人の観光客に商品やサービスが売れるよう、郷土料理や伝統工芸品の説明が徹底されています。各地の道の駅を訪ねると、豊富な商品と豊富な説明であふれています。こういったリッチなコンテンツを、外国人にも理解してもらいたいですね。

ただ、言語とカルチャーが異なることで、直訳の英訳では伝わらないこともしばしば。そのあたりには工夫が必要です！

● "磨かれた英語" で三方よし！！

まず、既存の日本語の文章を検証しましょう。 レベル1 、 レベル2 、 レベル3 に向けたメッセージを再構成し、（英作文力に自信がなければ、翻訳会社にお願いして）英訳しましょう。そしてできればネイティブスピーカーの力を借りて、日本語に負けないくらい魅力溢れる英語に磨き上げてもらってから掲示を開始！ とにかく怖がらずにどんどん言語化を遂行しましょう。顧客の消費意欲が高まり、職人さんの仕事が守られ、売り上げアップにも繋がります。三方よし！です。 そして最後に、会計終了後、お客様がお店から出て行かれる時には "Have a Nice Day!" というお別れの挨拶を忘れずに！

①②③ レベル別
おもてなしポイント！

レベル1 初級

日本語表示の多さに圧倒され、入店する勇気が出ない…

どのレベルにおいても具体的な行動としては、買い手と売り手がつながる工夫をする、これにつきます。売り手と買い手をつなぐ消費の導線づくりに「1，2，3ツーリズム法則」は 欠かせません。チャンスをゲットしましょう！

さて、このレベルの方々は全くの新人、一見さんです。つまり、お店の様子を外から観察し、のれんの奥に日本人ばかりがいて、表に「そば」とか「鮨」とか「ラーメン」などの日本語ばかりが書いてあると、日本語表示の多さに圧倒されてしまい、なかなかのれんをくぐる勇気が湧いてこない…というレベルです。

販売店の場合は、箱に入った商品が入口付近に積み上げられていたり、レジの場所が見えなかったり、先客が何かのカードでさっさとセルフで買い物していたりすると、「入りづらい！」と感じてしまいます。また、混雑中の振る舞いがわからなかったり、前払いか後払いかなどシステムがわからなかったりすると、お店に入らない可能性が大！ それはビッグプロブレムですね！

お店であれば、入口に「Welcome!」と書いた黒板や看板を置くだけでも、かなり入りやすくなります！ 入口近くで躊躇している外国人に向かって「いらっしゃいませ」と優しく言いながら、英語のメニューや

説明書きを見せてあげたりすることで、「歓迎されているな」と感じさせることが重要です。

　歓迎の気持ちが伝わると、日本語という外国語のハードルが低くなり、「親切な人たちだ」という気持ちになり、お店に入る勇気が湧いてきます。

お店はミュージアム感覚！ 滞在時間は長め

　このレベルのお客様は、日本の商品に慣れてないため、お店にいる時間は日本人と比べて長めになると思います。ですが、商品や値段をじっくり見比べたりテイスティング（試食・試飲）をしたりすることを通して、消費意欲が湧いてきます。日本人はお店に入ると大体買う物が決まっている（スナック菓子やご当地グッズとか）のに対して、初級レベルの外国人が日本のお店に入ると、ミュージアムのような感覚です。全部が新しく楽しい！

　商品を見て、「これは何ですか？」と聞いてくれるかもしれません。そのようなときには頑張って、中学校で学んだ英語を思い出しながら、「It's Tokyo Banana!（東京バナナです）」などと答えるようにしたいですね。「Banana?」と聞かれたら、「Yes, banana cake. A little one.」という調子で、どうにか英語での対応を頑張りましょう！

　いずれにしてもその場が盛り上がり、 レベル1 のビジターにとっては「日本人と話したよ！」という楽しい体験となります。

「Japan」表記の重要性

　英語での説明文やキャッチフレーズに加え、 レベル1 の方々は「地域名の英語表記＋ Japan」という表示を必要とします。

　たとえば「鎌倉」などの地名が、筆文字の漢字でデザインされているパッケージをよく目にしますよね。もちろんそれらはとてもかっこいいのですが、 レベル1 のビジターは当然、読むことはできません。それど

ころか、文字だと認識できないこともあります。

　そこでローマ字での英語表示が必要になってくるわけですが、この時に、地名だけではなく「Japan」を加えた、"Kamakura, Japan"にするほうが、すぐに理解が得られ、販売促進にも繋がるのです。

　以前、 レベル1 の友人が来日した際にTシャツ探しに苦労したことがあります。日本的なデザインはすごく人気があるのですが、それがどこのものなのかがわからないと、自国にいる友達やファミリーへのプレゼントに適さないと言うのです。「だって、どこの国のTシャツかが書いてなければ、自慢できないよ！」という面白い理由でしたが、たしかにその通りだなと思いました。

　また先日、私もラグビー関連のTシャツを購入しました。デザインはとても日本的で素敵で、英語で「Kamaishi Rugby」と書いてあるものです。 レベル3 の私が見れば、釜石がどこにあるのか見当がつくのですが、 レベル1 の外国人には全くわかりません。ここは Japan を入れてあげたいですね。日本人が米国で何かを買う時に、"Boston"だけではなく"Boston, USA"をより好むのと同じ考え方です。

「誰」「どうして」をもっと発信しよう！

　また、仕事で多くのお店や旅館を訪れるのですが、地元の工芸品に関する「誰が」「どうしてか」という説明が極端に不足しています。スーパーの野菜売場などで目にする、「私がつくりました（＋生産者の笑顔）ラベル」が、「ああ、この方がこのリンゴを作ったんだな。安心ですね」と思わせるのと同じような考え方です。もしあなたがガイドさんとして レベル1 の外国人を買い物に連れて行くのなら、是非ともこのような、品物の背景にあるストーリーのご案内に力を入れてください。

　外国人の買い物客は、伝統工芸品やお土産品の作り手や、生産の背景に非常に興味を持ちます。つまりその背景や生産者情報こそがアイテム

に付加価値をつけて、ただの「もの」から「思い出の品」と変化するパワーとなるのです。ただの「もの」は、想定している予算内に収まらなければ、買ってはもらえません。しかし、「思い出になる意味あるもの」であれば「思い出」を買っているような状態となり、マジックのように別予算が出てきます。「デザートは別腹です」と同じく「思い出は別予算です」という感覚ですね。

●ケヤキの箱の工芸品に関する、 レベル1 向けの英語説明文のサンプルです

元の日本語説明：

　日本は昔から林業が盛んであり、国土の70％は森林で覆われているというデータもあります。日本のアニメなどに森がよく登場することもあり、日本人にとって「森」は特別でスピリチュアルな存在です。

　木の種類は豊富ですが、伝統工芸や神社・家屋に使われている木は主にケヤキ、杉と松です。六本木に行ったことがあれば、「欅坂」は聞いたことあるかも知れません、そのケヤキの木です。

　この美しい小箱はケヤキ製で、この近くに住む〇〇という職人さんがていねいに作り上げた一品です。●●の森からの恵みをご堪能ください。

レベル1 向けの英語説明：

　Historically, Japan's forestry industry thrived. Data shows that almost seventy percent of Japan is covered in forest and as you can see in much of Japanese anime, etc., the forest holds a special and spiritual place in the heart of most Japanese.

　There is much variety in Japanese forests, but the wood used in most crafts, temples, homes, etc., is Zelkova (Keyaki), Ceder (Sugi) and Pine (Matsu). Maybe you have heard of Keyakizaka a famous road in the Roppongi area of Tokyo?

　This little box is made using Zelkova wood and carefully created by an artisan, Mr. ○○ , who lives nearby. We hope you will treasure this small blessing from the woods of ●● Prefecture.

レベル2 中級

> ## かなとカナ多めならOK！
> ## （英語表記もあると嬉しい！）

　このレベルの外国人は、見慣れているものを好み、**材料がひと目でわかるものを買おうとします。** クラッカーやクッキー、香水、キーホルダー、扇子、花びん、お皿など、日本的なものを好む傾向があります。 レベル3 と同様に、漢字を読むことに苦労するので、**カタカナやひらがなが多めな説明書があるとベストです。**

　このレベルの方々のほとんどが レベル3 と同じく、日本に住んでいます。ですので、 レベル1 の方々の日本についての相談相手になっていることが多いですね。私が想定する レベル2 は、4〜5年くらい住んでいる、比較的若年層なのですが、彼らは**スマホ世代**ですね。そういった方に向けて、例えば試食コーナーに**音声の説明を聞くためのQRコード**やアドレスがあれば、すぐにネットでアクセスすることが可能です。

　また、 レベル2 も レベル3 と同様に、**ソーシャルメディアを頻繁に使う人たち**です。SNSでの書き込みに検索性を高めてくれる「#（ハッシュタグ）」をつけた投稿も期待できます。

　このレベルの外国人には、**商品についてワンポイントだけ理解してもらえるような英語のキーフレーズを作っておく**といいですね。高知県のミレービスケットを例にとると、「高知県民が大好きなミレービスケット」というキーフレーズだけを覚えてもらえると、それがいつの間にか投稿され、拡散につながるかもしれません。例えば、「Top Selling Snack in Kochi, Mirei Biscuit（高知県で売り上げトップのミレービスケット）」のような感じですね。

　このように、**中級者に伝えたいワンポイントを考えることが** レベル2

ビジターのおもてなしのうえでは重要な戦略になってきます。

　そして、言うまでもありませんが、説明やストーリーを書いた紙を用意し、持って帰ってもらえるようにすると、家に帰ってからじっくりと読んでくれて、さらなる宣伝活動と書き込みをしてもらえる可能性が上がります。「食べてみたら最高に美味しかった！」など、動画や画像やテキストをソーシャルメディアで投稿してくれたらとてもハッピーですね（なお、説明の紙にはHPのURL表示を忘れずに！）。

● レベル1 と同じケヤキの箱の工芸品に関する英語説明を、 レベル2 向けに加工すると、こんな感じになります。

元の日本語説明：

　日本は昔から林業が盛んであり、国土の70％は森林で覆われているというデータもあります。日本のアニメなどに森がよく登場することもあり、日本人にとって「森」は特別なスピリチュアルな存在です。

　木の種類は豊富ですが、伝統工芸や神社・家屋に使われている木は主にケヤキ、杉と松です。松の木の絵が神社の壁に書かれているのを見たことがありますか？　あれは能舞台の背景で、「松」を「祭る」という意味で使っています。かっこいいですね！

　この美しい小箱はケヤキ製で、この近くに住む〇〇という職人さんがていねいに作り上げた一品です。●●の森からの恵みをお受け取りください。

レベル2 向けの英語説明：

Historically, Japan's forestry industry thrived. Data shows that almost seventy percent of Japan is covered in forest and as you can see in much of Japanese anime, etc., the forest holds a special and spiritual place in the heart of most Japanese.

There is much variety in Japanese forests, but the wood used in most crafts, temples, homes, etc., is Zelkova (Keyaki), Ceder (Sugi) and Pine (Matsu). **Have you ever seen a Pine (Matsu) tree on the wall at the back of a shrine? This is a motif for Noh plays and refers to "Matsuru" or "Worship,**

Celebrate". Isn't that cool?

This little box is made using Zelkova or Keyaki wood and carefully created by an artisan, Mr. ○○ , who lives nearby. We hope you will treasure this small blessing from the woods of ●● Prefecture.

ちょこっとおさらいしましょう！

レベル1 のポイント

- 店頭に「welcom」表示＆「いらっしゃいませ」声がけ
- 中学英語で商品の説明！ 盛り上がる！
- 地域名＋ Japan で販売促進！
- 作った人や背景ストーリーで「もの」を「思い出」に！

レベル2 のポイント

- 説明書はカタカナ・ひらがな多めで
- QRコードやURLもご案内！
- 商品を端的に表す英語のキーフレーズを作ろう！

レベル3 上級

おすすめ情報発信も！
広告塔になるのがこのレベル！

レベル3 の皆さんも日本人同様に、食材や賞味期限をチェックし、日本酒、ご当地キャラグッズ、機内、車内販売品を購入します。

ですが、ラベルや説明書や商品紹介にはハイレベルな漢字が多く、読むことに苦労します。英語にする必要はありませんが、日本人向けの日本語だけでは、商機を失っている可能性が高いと思ってください。

そして、忘れがちなことですが、レベル3 の方たちは、日本の会社や商品の広告塔になることが多いです。

統計では、欧米豪の方々が来日前に最も大切にする情報源は、友達やファミリーの「オススメ情報」です。わかりやすく言いますと、信頼している人の言葉を頼りにしているということです。

また、ソーシャルメディアを使う人も多いです。例えば「サイクリングが好きな人」や「日本文化の愛好家」などなど、国内外のどこにいるかは関係なく、参加できるグループがたくさんあることをご存じでしょうか？ そういったグループは、入る前にその人の志向がチェックされることがあります。グループのアドミン（管理者）がそれぞれのメンバーに投稿のルールなどを説明し、一人一人を承諾します。手間暇がかかるグループ運営のため、メンバー選びをマメに行うのです。審査をマメに行なっているため、「登山」や「バードウォッチング」や「森林浴」などのグループに入っている場合、グループメンバーの意見を参考にし、信頼します。

日本という外国に住んでいる外国人は、これらのグループメンバーになっていることがよくあります。日本に住んでいるメンバーと海外に住

んでいるメンバーとのパイプがしっかりしてきますと、国内外の人脈が拡大します。海外にいるメンバーが、必然的に Japan についての相談事や疑問を、日本在住のメンバーに投げかけたりします。

そうなると、オンラインで日本を説明したり、日本旅行についてのアドバイスや意見を述べたりする内容が、グループのタイムラインに頻繁に上がります。そのタイムラインを読むメンバーは内容を信頼し、おすすめされていることを真剣に受け止めます。

日本に住んでいる外国人がソーシャルメディアの書き込みなどを行うと、レベル1 のビジターに比べて、具体的な内容や他社と比較しての情報を書くことがあります。とにかく、このレベルの上級者は、レベル2 ＆ レベル1 の方々の「信頼される良き相談役」になっているのだということを、念頭に置きましょう。

●名物のお饅頭に関する、レベル3 向けの日本語説明文のサンプルです

××饅頭

Did you Know?　むかし、この　ちいきに　住んでいた〇〇という　おさむらいさんは、このおまんじゅうが　大好物でした。　あさごはんに　お茶と　一緒にめし上がり、一日のちからの　みなもと　としました。■■たいせんなど、おおくの　いくさで　しょうりをおさめ、この　ちいきの　ヒーロでもあります。Samurai 好みの　このスナックを　ぜひとも　テイスティングしてみてください。

文章の中で漢字がひらがなになっている部分は、レベル3 でも苦労するようなワードです。また、キーワードを目立たせるために Samurai を英語で入れてみたりすると、目をひく力が増してきます。日本語を工夫するだけで、レベル3 の方へのアピール力が上がり、レベル3 から レベル2 ＆ レベル1 に向けて情報発信してもらえるようになります。

100%英語での案内が必要な レベル1 のゲストを想定したダイアログです。
🧑はガイドさん、🙂はお客様です。音声を聞いて、真似して言ってみましょう。
ロープレにも取り組みましょう。Let's do this!

◎これは何？

> **This area is famous for whitebait fish.**
> この地域の名産物はしらすです。

> **Whitebait? What is that?**
> 「しらす？」それはなんですか？

> **Here, do you see this photo? These little white fish. Either boiled or raw.**
> こちらの写真を見てください。この小さな白い魚です。ゆでたものと、生のものがあります。

☞近くにポスターや写真があれば、口頭で説明するよりも写真を見せた方が楽です！

> **Ewwww! I can see their eyes!**
> 嫌だ！目が見える！！

☞特にレベル1の方からよく出る最初のリアクション。そこでギブアップしないことが大事です！

◎しらすの特長

> **Well, they are full of calcium and local fishermen catch them fresh every day. It is a rare experience to try whitebait that has been eaten in this area for hundreds of years and that is also so fresh.**
> でもカルシウム豊富な魚ですよ。ローカルな漁師さんが何百年も続けて毎日この近くの海で水揚げしています。ここまで新鮮なしらすを食べるチャンスはなかなかないですよね。

☞物の体験化へと導くちょっとしたストーリー。

Hmmm. I don't know about eating it as is.
そうですか。でもそのままで食べる自信はないね…。

☞ 本音を引き出したね！

◎別案をご提案

How about in a Sembei rice cracker?
Please try.
このせんべいならどうでしょうか？
ちょっと食べてみてください。

☞ そのままで食べられないと言われても「一切食べられない」と思わ
ないでください。別な形、もっと入りやすい形を紹介してみましょう。

Oh, it is a bit salty. Very good. Maybe I will
buy one of these boxes to take home.
なるほど、ちょっとしょっぱいですね。とても美味しい！
このボックス一つを買って帰ろうかな？

☞ テイスティングボックスがあると試食できます。

Good idea! It costs 540 yen for one box.
いいアイディアですね。一箱540円です。

☞ 税込・税抜きは特に心配する必要はありません。値段を言ってあげてください。
税がかかってくることをほとんどの外国人ビジターは知っているはずです。

Oh, that is cheap and such a nice little
present for my kids to try something new.
本当に？　安いですね。私の子供たちに新しい味になるね。

☞ 結局、自国にいる子供達への食体験となりました。
将来の訪日外国人観光客の卵たちを間接的に囲い込んだね！ 凄い！

Great choice. I hope they like it.
いいチョイスですね。お子様が気に入ってくれれば嬉しいね。

Thank you!
ありがとう！

TOPIC 4

Bath / Onsen
お風呂・温泉

「和式トイレが怖くて、来日を止めようかと思ったよ！　お風呂は難しい！　シャワーだけでいい」という、特に欧米豪からのレベル1にどう対応しましょうかね？

Photo: Fast&Slow / PIXTA（ピクスタ）

● 和式トイレが怖い！？

日本の常識
世界の…

「日本のトイレって大丈夫ですか？」

と、1年も前から来日を準備していた、大学時代の元ルームメイトからの突然の問いかけ。驚きました！　どうやら、トラベルブログなどから日本のトイレ情報を入手し、日本のトイレは「しゃがまないといけない和式オンリー」だと思っていたようです。アメリカで「Squattie Potty」と言われる和式トイレがとても怖くて、「日本に来るのを何度もやめようかと思ったよ！」と言う、

50

根っからの レベル1 状態です。日本だけでなく、アジアに来るのが初めてという、全てが丸ごと異国状態だったのです。

● まさかのお風呂拒否！ しかし…

日本の常識
世界の……

その時友人には、私が住んでいる洋風な家に泊まってもらったのですが、米国の東海岸からの長旅の疲れをお風呂で癒してもらおうと、早速お風呂の場所を案内しました。すると、「ノー。私はシャワーだけです。家のリフォームの時も私たちはバスタブを取っ払って、シャワーだけにしている」と、きっぱりお断りされてしまったのです。「でもでもでも、日本の大事な文化だよ」と言いたくなりますね。「気持ちがいいよ。リラックスできるよ」と強調しても、かぶりをふるだけの反応でした。

思い出してみると私自身も、初めて日本に来たときには、和式トイレとお風呂で少し戸惑った経験がありました。「間違ったら、恥ずかしい…」という気持ちでした。現代人にとって、体を洗う時やトイレに入る時はリラックスする瞬間ですから、わざわざ緊張するような環境に身を置きたくないのは本心だと思います。幸い私の家は洋式トイレだったので、友人はそこで困ることはありませんでしたが、お風呂だけは（絶対にトライしてほしいと思ったのに…）ダメでした。

● 貸し切り温泉には入ったけど…

意外とハードル
高い和の文化

友人が滞在している間に仕事で新潟県に行くことになり、「お風呂嫌い」の彼女も一緒に行くことになりました。旅館の貸し切り温泉だったら彼女が安心して日本の温泉を経験できると思い、旅館に泊まることに決めました。

その貸し切り温泉は、旅館の背後にある森が見える、ちょっとした露天付きのお風呂で、入浴中にはしっかりと施錠もできます。入り方の説明をすると「わかった。行ってみる」としぶしぶながらOKを出してくれました。ですが、

「はい、準備OK！」と言いながらバスルームから出てきた彼女を見ると、なんと水着姿です。「可愛いね。でも水着はいらないよ。あなただけだし、プールじゃなくてバスだから、裸で入るのは普通だよ」と説明しても「大丈夫、水着がいい」の一点張り。

　貸し切り温泉の場所まで一緒に行って施錠を確認してから、私は大浴場のお風呂に入りました。部屋に戻ってきた彼女は、貸し切り風呂の中で撮った動画を見せてくれました。水着姿のままであるのはもちろんですが、引き戸で窓を全部締め切っています。「え、森を見たくなかったの？」と尋ねると「森に誰かがいるかも知れないでしょう？　見られたくないから窓を閉めたのよ」と言うのです。

●「レベル1」の旅行者には 選択肢が必要不可欠！

トライするしないは相手次第

　もったいない！と思いましたが、これが レベル1 の初級者の感覚なのです。トイレやお風呂など、日本にくれば全てが非日常的。異なることを楽しめるタイプのビジターは、積極的に色々なことにトライしますが、100％すべてを抵抗なく受け入れられる人は少ないと思います。どちらかというと、部分的にはトライしても、中には無理なものもあるという、私の友人のような方が多いのではないかと思います。ですから、案内をする側の私たちは、日本人向けのものをそのままボンと「どうだ！」という態度で提供するのではなく、**相手のレベルに配慮し、トライするかどうかを選択できるような情報を提供する**ことが、親切なおもてなしには必要不可欠なのです。

　今思えば、一般的な日本式のお風呂が、友人にとって十分な日本的体験だったと思います。個室に入り、「バスタブの中ではなく横で体を洗うって面白い！」と驚き、シャワーヘッドが低い位置にあることを不思議に思いながら、椅子に気づくと「あ、座って体を洗うのね」と、**新鮮なバスタイム**に発展します。この友人には、貸し切り露天風呂よりもお部屋の中の普通のお風呂の方が楽し

かったかもしれないですね。

● とくに重要な生活インフラ＝トイレ

外国人はこう
考えている！

　そして、トイレはどのレベルのビジターにとっても大きなポイントとなっています。友人は大型クルーズ船での旅行を好み、ご主人とヨーロッパ中を17回も巡った経験をもっていますが、どの国へ行ってもトイレが気がかりだと言っています。彼女がとくにセンシティブなのかもしれませんが、やはり、レベル1の観光客にとって、トイレのような生活インフラは、重要なポイントになります。

　来日前に心配があったとしても、実際に日本の駅構内やほかのパブリックエリアにあるトイレを見ると、レベル1のほとんどのビジターは感動します。ハワイの友人である日本のヘビーリピーター（レベル2）は、「他国だとパブリックのトイレの清潔状態が心配だから、お出かけ前に必ず宿泊先のトイレに行ってから出かけるようにしているけど、日本だけはどのトイレも綺麗です。とても安心！」と、絶賛でした。

　前出の「Squattie Pottyとお風呂嫌い」の友人は、米国東海岸で小児科医として活躍しているのですが、医者ならではの清潔感へのこだわりから、日本のトイレインフラが気になっていたのかもしれません。ですが和式は洋式に比べて衛生面の問題は少ないはずなので、どちらかというと「不慣れ」だということに引っかかっていたようです。彼女は来日中、駅のトイレなどを利用していく中で、日本のトイレのほとんどに和式と洋式の両方の選択肢があると知り、いろいろな心配がなくなりました。ある時ふと、彼女がかなり長時間トイレで過ごしていることに気が付きました。もしかしてお腹の調子でも崩しているのかな…と思っていましたが、帰国後の本人のソーシャルメディアを見ると、なんと駅のトイレの写真を撮り、その清潔感と優れた装備について、一生懸命発信していたのです！

　私も1987年の語学留学をきっかけに初来日し、「和式トイレ」というものを

初めて経験しました。便器が床に埋め込まれていて、カバーがないからお尻が丸出しになる違和感や、前を向いて背中をドアに向けないといけないことが、とても不安でした。逆の立場で、日本人が外国のトイレに入るとき、個室のドアフチの隙間や、扉の下の空いているスペースが気になりますよね。個室のドアの下が空いているので、日本人は足を見られて気持ち悪いと感じます。ですが外国人は、前を向いているので誰かが覗こうとすればすぐにわかることや、足が外から見えるので使用中かどうかがすぐにわかることを普通な状態だと思っています。それに対し、和式トイレは多くの場合でドアに背中を向けることになるので、一般的な外国人は無防備と感じ、不安になります。私もそうですが、多くの観光客の場合も、「和式トイレ」と「ジャパニーズスーパートイレ」と言われている「温水洗浄便座」に慣れてくると元に戻れませんね。今となれば海外に行って、温水洗浄機能なしの普通の洋式便座（冷たい！）だと、凄く物足りない気持ちになってしまいます。

●「レベル1」ビジターの不安や　トラブルを解消する方法

　7日間の滞在中、 レベル1 の友人は日本のトイレ——とくに駅構内のトイレ——の大ファンになりました。評価が高かったのはベビーシートの付いた個室です。小さなお子様連れのお母さんへの思いやりが、小児科医の目線からも、素晴らしく映ったみたいですね。「天才的」と、Facebook に投稿していました。

　また、日本語ができないビジターのために、「Japanese Style（和式です）」「Western Style（洋式です）」と、扉に表示したり案内したりすると親切ですね。加えて赤は女性・青は男性というのが常識でない国もあるため、どっちがどっちなのかを説明したり、大浴場などの前ののれんの横には「Men」「Women」と表示するようにしましょう（実際問題、「女」「男」という漢字が読めないため、間違った方に入ってしまう レベル1 の方がたくさんいます！）。

「日本のトイレは和式オンリー」や「お風呂は全て混浴」と思い込み、不安になっている レベル1 のビジターがたくさんいます。事前の説明やわかりやすい表示だけでもトラブルを防止できます。また、利用における選択肢を与えてあげることで、とても親切な対応になります。

今後も、 レベル1 のビジターは増える一方だと思います。例えば、「電車を降りる人を先に通す」「座席の背もたれを倒す時の後ろの方へ"倒してもいいですか？"と声をかける」のような、私たちからするとごく当たり前のことから「トイレ内の清潔状態」「温泉の種類と楽しみ方」などなど、日本に来る外国人は、じつにさまざまな日本式体験機会に出会います。

そして一方で、「外国人は日本のトイレについて不安がある」「人の前で裸になるのは嫌だろうから使わないだろう」などのような決めつけをすることなく、一人一人のレベルを考え、少しずつ入っていける状態にしてあげることが、快適な旅行を助け、ひいては旅館利用・温泉・旅範囲の広がりを促進させることにつながります。人が動くと消費も活発になりますので、レベル別を配慮したご案内や導線作りに励んでいきたいものですね。

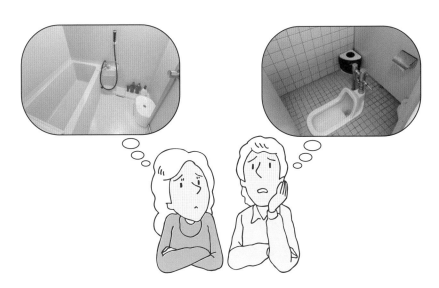

Photo: coji_coji_ac さんによる写真ACからの写真　　　　　　Photo: ころさんによる写真ACからの写真

①②③ レベル別 おもてなしポイント！

レベル1 初級

日本式のお風呂は１から10まで全て日本ならではの体験！

お風呂や温泉は全く初めてのため、客室内の浴室でさえ、すでに日本ならではの体験となります！ 宿泊施設ならホームページ上などで必ず以下の情報を入れていただきたいです。

Each room has a toilet and bath.（各部屋にトイレ・バスを完備しております）

📝 このとき近くに 画像も加えると、プライバシーが確保されていることが伝わるので、人前で裸になりたくないビジターも安心します。

お部屋へご案内する時、浴室の簡単な説明を行うと レベル1 の一見さんは安心し、新しい体験にワクワクします！

- 湯船の外に座って体を洗うこと
- 水温調節のやり方
- シャンプー、コンディショナー、ボディソープの見分け方
- 浴室内が濡れても問題ないこと

レベル1 にとっては、部屋に備えつけの浴衣を着るだけでも格別な体験で、いい思い出になります。「旅館の名前が入った小さなタオルは、お土産として持ち帰ってもいい」と説明してあげると喜ばれます。また、浴衣セットの販売があればぜひ案内しましょう。ご本人のペースを配慮し、露天風呂や大浴場を強く勧めないことが、ナイスなおもてなしとなります。

内風呂はもちろん問題なし！大浴場や銭湯で冒険体験！

　このレベルのビジターは、銭湯や大浴場に入るだけで十分な冒険になります。このレベルの方々が必要とする言語化は、次のようなものです。

・小さいタオル・大きいタオルの使い分け
・お風呂・温泉の入り方の表示
・アメニティを楽しむ、かつ購入を促すための英語表示（ラベル貼りをお勧めします）
・トイレは入浴前に済ませること
・湯船では髪をアップにすること
・お風呂・温泉の利用時間（朝に入りたい方が多いため）

　このグループにある問題としては、立ってシャワーを浴びる習慣があることです。また、裸足になってパブリックスペースで歩いたことがない方が多くいます。この方々への大浴場についての説明には、このような説明を加えると親切です。

For your comfort we keep our bath clean and hygenic. The entire bath is fully cleaned each day. Slippers are not required in the changing room or bath area.
Please make sure to remain seated while using the shower to avoid spraying water on other bathers.

皆様の快適なお風呂タイムのため、毎日お風呂の中の水を抜いて綺麗に掃除しております。床も衛生的になっているため、脱衣所やお風呂場ではスリッパ不要です。他の利用者にシャワーの水がかからないよう、シャワー中は椅子におかけになってください。

日本のお風呂文化はひととおりクリア
＋αの繋がりがあると新鮮！

　このレベルの上級者は、日本人と同じように お風呂＆温泉文化をエンジョイできます。「お風呂は入れ替え制」や「シャンプーあります」などといった日本のお風呂文化の概念は理解できているので、利用時間、泉質、歴史的背景（かつては旧東海道の宿場町だった…など）、効能、露天風呂の有無などの説明や情報を加えましょう。

　レベル3 のビジターへは、「ガイダンス」というよりも「ストーリーで繋げる」ということが重要になってきます。

　例えば 以下のような繋ぎを提供すると、消費を促進することができます。

売店での販売品との繋がり

温泉の泉質や効能を案内
⇒泉質を含む石鹸がある・買える
大浴場のアメニティの説明
⇒大浴場にあるアメニティが売店で買える
お部屋やフロントでご当地情報のパンフレット案内
⇒ご当地だけで購入可能な伝統工芸品などが売店で買える

　分かりやすく簡単な日本語で言語化し、温泉・お風呂・旅館と地域を繋げると効果的です。そして、日本語表示のみの場合は「ふりがな」が必須です！

例：「売店で絶賛販売中！」
　　⇒ホテルショップで　ゼッサン　はんばい　ちゅう！

✍ひらがながずーっと連なっていると読みづらくなるので、空白を入れるのがコツです！

　「売れてます！」
　　⇒ベスト　セラー！

　「浴衣や寝具を購入希望の方は、フロントでお申し出ください」
　　⇒おへやにある　もの（ゆかた　や　ざぶとんなど）をかいたいで
　　すか？　フロントにお伝えください

　流暢な日本語を話す外国人でも、読み書きを苦手とする人がたくさんいます。そのため、文字で何かを伝えるときは、できるだけふりがな・ひらがな・カタカナなどを多めにすると親切です。

Photo: sasaki106 / PIXTA（ピクスタ）

100%英語での案内が必要な レベル1 のゲストを想定したダイアログです。
=ゲスト、=あなたです。音声を聞いて、真似して言ってみましょう。ロー
プレにも取り組みましょう。Let's do this!

◎混浴？

 Is your bath co-ed?
お風呂は混浴ですか？

No, we have separate baths
for men and women.
いいえ。男女別になっております。

◎大浴場はちょっと…

 Okay. Is there any way to take a
bath in private? My wife is not
comfortable with the public bath.
プライベートでお風呂に入ることは可能でしょう
か？ 家内が大浴場を嫌がるかも知れないので。

Yes, there is a small bathroom,
called a unit bath, in each room.
はい、各部屋内に小さなバス、（ユニットバスと言い
ます）、があります。

 Oh really? That is wonderful!
そうですか？ それは助かるね！

◎トイレについて確認

How about the toilet?
Is it only Japanese style?

トイレはどんな感じ？　和式だけですか？

No, we have both types.
The toilets in the rooms are
all Western style.

いいえ、和式と洋式、両方あります。
各部屋にあるトイレは全部洋式です。

What a relief. Thank you.

ホッとしました。ありがとう！

◎タトゥーについて

By the way, do either of you
have tattoos?

念のためですが、お二人はタトゥーを入れていますか？

Yes, I have one but it is very small.

はい、僕はあるけど、すごく小さいよ。

In that case, you can't go into the
public bath, but may I reserve
the private bath for you? We can
make that complimentary.

そうですね。タトゥーがあると大浴場に入れないので、
プライベートな貸し切り風呂の予約を入れましょうか？
無料とさせていただきます。

Hmm. That's a weird rule.
But thank you for letting me know.
Yes, the private bath sounds great.

そうですか…変なルールですね。でも教えてくれてあり
がとう。はい、プライベートバスの予約をお願いします。

I have reserved it for 8 p.m.
Please enjoy.

では、20時からとさせていただきました。
ごゆっくりお過ごしください。

Thank you so much!
どうもありがとうございます！

　このようにていねいに対応したいですね。どんな質問や疑問が来るか、完全
には予測できませんが、スムーズに対応できるようになると楽しいですね。
　そして、ビジターたちの質問はあくまでも本人の国の常識からの質問となっ
ているため、「日本を悪く言っている」と考える必要はありません。ちなみに、
喫煙、tattoo、閉店時間などといった大事なルールについ
ての説明は、最初のタイミングで行うのがおすすめです。

TOPIC 5
New Year's Holiday
年末年始

CD 10

> 年末年始に日本を訪れる外国人に「日本人が持つホリデー感覚」をご案内。「福袋」に興味津々のビジターもたくさん!

Photo: スムース / PIXTA (ピクスタ)

● 日本式年末年始は意外とハードル高い?

現状はほぼ日本人向けのみ

　観光ガイドはもちろん、ホテル、旅館、レストラン、コンビニなどサービス業の最も大きな目標は 顧客満足度向上ですね! **レベル1** でも **レベル2** でも **レベル3** でも、外国人の皆さんは、日本の「楽しい」を共有し、それに参加している気持ちになるとメチャメチャ満足します! ですが、現状の日本の年末年始に向けた売り出しやバーゲンなどの顧客満足作戦は、ほとんどが日本人向けのみとなっている気がします。

63

しかしながら、観光立国日本では、これからのホリデーシーズンの潜在顧客には、外国人の割合がますます増えていくでしょう！　新しいお客様だらけってワクワクしませんか？　チャンスですよ！

　昔から私は「日本人はショッピング大好き」という印象を持っています。

　ハワイ育ちの私は、**1970～80年代のハワイブームのとき**に、オアフ島の「現地」にいました。日本人の観光客がどんどん来て、爆買いをしていましたので、「日本人は全員すごくお金持ちだ」という強い印象を、我々現地人は持っていました。この「お金持ち」という印象をさらに強くしたのは、**バブル時代**の1988年に、株式会社リクルートに入社するため日本にやってきたときでした。

　当時、リクルートシーガルズ（リクルートのアメリカンフットボール同好会）のチアをやっている仲間が３泊４日の行程でハワイに行くと、必ず「あああああ！　買い物しすぎた！　カード使いすぎた！」と言うのが決まり文句でした。

　「え？　どれくらい？」と聞くと、「ヴィトンのバッグ、６個も買っちゃった！　カードの返済は100万くらいになるかも！」など、びっくりするような内容。電車に乗れば、中吊り広告で、バーゲンや年末年始セールなどの告知が満載で、日本人というのは買い物をすごく楽しみにしている人々なのだな、と思ったものです。

● 福袋や "お買い物" のハードルを下げよう！

　初めて「福袋」を買ったときのこともよく記憶しています。お気に入りのお店で買ったものの、中身がわからないのが少し心配でしたが、開けてみるとハッピーサプライズでした！　上等なハンカチ、ベルト、スカーフ２枚が入っていて、とても楽しい経験となりました。

　訪日観光客のみなさんも、福袋やバーゲン、日本スタイルのショッピングに、間違いなく興味があります。「日本人はかっこいい」「日本のものは上等だ」と

認識している人も多いはずです。空港や宿泊先のホテルだけでしかお買い物しないなんて、もったいないですね！

　そしてビジターの外国人たちは、空港とホテルにある売店は、**基本的に高めであると認識しています**（これは日本人の認識も同じだと思いますが…）。ですので、例えば福岡の天神にあるような地下の買い物街や、高知の活気あふれる商店街や、原宿のストリートショッピングなど、**日本中のさまざまなスポットでのショッピングに外国人も参加したい！**と思っています。そして、そこに来てもらうだけでなく、しっかりとショッピングを楽しんでもらうためにも、この1，2，3ツーリズム法則の考え方は、重要なヒントになると思います。

　外国人向けの対応策を強化して、福袋や"お買い物"のハードルを下げて、"コク福"できるようにしてあげましょう！

①②③ レベル別
おもてなしポイント!

レベル1 初級

「メリークリスマス!」は、わかりません!

　このレベルの初級者ビジターは、漢字はもちろんカタカナも読めません。

　ですから、「メリークリスマス」をカタカナで表示しても伝わりません。ですので、表示する場合は、だれでも読める「Merry Christmas」という横文字表示に切り替えてみるところから始めましょう。

　ただ、「メリークリスマス」はキリスト教に基づく表現であるため、「Happy Holidays!」で統一するのも、グローバル感が出て、どのお客様にも喜ばれますのでおすすめです。

　また、これは全レベル共通で言えることですが、もしあなたが土産物ショップのスタッフであるなら、お土産系の福袋も作っておくといいでしょう。帰国する際に購入したいと思う外国人がいるはずです。日本に住んでいる外国人が一時的に「帰国」する場合にも重宝されるでしょう。1, 2, 3レベルの全員が対象となります!

　例えば「A special bag of gifts from Japan」というバッグに、お箸2膳、手ぬぐい2枚、マグネット3個、お猪口2個、陶器類1個が入っている福袋などは、訪日外国人観光客から日本在住の外国人まで、全員が対象となります!

　セールス戦略ってワクワク!　楽しいですね!

レベル2 中級

> バーゲンの特別感やお得情報を伝える漢字が読めない！

　このレベルのお客様は、「特価」「特別」「特産品」「当店自慢」「限定品」など、バーゲンセールの「特別感」を出すためについているキャッチコピーなどの漢字が読めません。

　年末年始のホリデーシーズン中に、全国でさまざまなセールが行われるにもかかわらず、現状ではそのほとんどが、こういった漢字での案内＝日本人向けにとどまっています。**外国人のお客様へのご案内はまだまだ十分とは言えず、消費促進に繋がっていません。**

　ではどうすればいいかというと、「Holiday Price」「Special Holiday Price」「Special Holiday Set」などの英語表現を使ってのご案内を付け加えるだけです。

　店頭であれば、**日本語表示の下に少し手書きで書き加えるだけでもOKです！** そうすることによって、外国人がセールに参加でき、買い求めやすくなります！

　また、念のために、「五〇〇円」ではなく「500 yen」という値札にしておきましょう。そうするだけで、分かりやすさアップとなり、ビジターは買い物を楽しめて、レジへの導線作りに役立ちます！　レジが混んでくるよ！　アー・ユー・レジィ (ready) ？

【バーゲンあるある表現】

☐ 特価　　　　　　　Special Price
☐ お買い得品　　　　Bargain Item
☐ お買い得　　　　　Bargain

□ 売り尽くし	Clearance Sale
□ 年末セール	Year-End Sale
□ 期間限定	Limited Time Offer
□ 特産品	Specialty Products
□ 当店自慢	In-House Special
□ 限定品	Limited Items
□ 初売り	First Sale of the New Year!
□ 福袋	Lucky Surprise Package
□（大幅）値下げ	Discounted Items (Big Discount!)

レベル3 （上級）

福袋興味あり！ but 洋服が入っていると買えない！

　日本の福袋文化に参加したいと思っている上級レベルの外国人は結構います。ですが、日本の標準サイズは外国人（とくに欧米豪人）サイズではないため、服や寝具やタオルなどといった、**サイズが関係あるもの**が入っていると手を出しません。体に関係するもの（寝具、リネン、靴下、Tシャツなど）は、日本人の標準サイズより大きいサイズを好む日本在住の外国人が非常に多いのです。

　サイズに関係しない、雑貨、食べ物、アクセサリー、飲み物、キッチングッズ、化粧品などの専門店が提供している福袋をご案内すると、外国人はハッピー！　また最近では大きいサイズ専門のファッションブランドもありますので、そういったショップはぜひ福袋を企画してみてください。とくに レベル3 のビジターに好評を博すでしょう！

100％英語での案内が必要な レベル1 のゲストを想定したダイアログです。
😊=ゲスト、😎=あなたです。音声を聞いて、真似して言ってみましょう。ロープレにも取り組みましょう。Let's do this!

◎これは何ですか？

What is this?
これは何ですか？

This is what we call a Fukubukuro, or Lucky Bag!
これは「福袋」です。ラッキーバッグ！

◎福袋の中身1

What is inside?
何が入っているの？

Oh, that is the surprise!
But it will be something like this sample.
ああ、それはサプライズですよ。でもこの見本のような内容になります。

◎福袋の中身2

I don't know if any of that will fit.
サイズが合わないかも知れないですね。

Well, we have one type that is all items with no size, no clothing.
こちらのタイプは服が入っておらず、サイズと関係のない商品が入っています。

Really? That's good.
It is light and easy to take home.
本当ですか？ いいですね。軽くて持って帰ることもできそうですね。

◎個数限定

I think I will take five.
では5個ください。

Oh we only allow two per person.
ああ、お一人様2個までとなっていますが…。

Hmm. Okay. I will tell my friends back at the hotel. They might come tomorrow.
そうですか。じゃ、ホテルにいる友達に来るようにと言っておきます。明日来るかも知れないです。

Okay, the sale goes until Sunday so please let them know.
いいですね、セールは日曜日まで続くので、ぜひお伝えください。

Got it, thank you so much!
わかりました！ ありがとうございます。

Please come again! Have a nice day!
またぜひともお越しください。いい一日になりますように。

T O P I C 6

Language
言葉

言葉のバリアを1，2，3ツーリズム法則で乗り越えよう！ おもてなしはコミュニケーションからスタート！

Photo: Melpomene / PIXTA（ピクスタ）

● 大きな声で言っても通じません！

レベル1は日本語0状態

　私の母親が初来日した際、当然日本語レベルは「0」で、見事な **レベル1** のビジターだったのですが、本人はまったくお構いなしで、ネイティブスピードでの英語シャワーを日本人に浴びせる癖がありました。

　ある時は、日本人のウェイトレスさんに「Today's weather is a little muggy right? I am not used to this since I live in Hawaii. Have you been to Hawaii? By the way ...」とペラペラペラ…。ウェイトレ

スさんの「ヤバイ！」と固まった表情を見て、私が母親に「通じていないよ」と伝えると、今度は一段と大きな声で「**Today's weather is a little muggy right? I am not used to this since I live in Hawaii. Have you been to Hawaii? By the way ...**」と、同じ内容のことを、声のボリュームをあげてペラペラペラ〜と。コントのようですが、実話です。

　当然ですが、声を大きくすれば通じるなんてことは、ありませんよね。読者の皆様が日常的に対応している レベル1 の初級ビジターは、私の母親同様に、日本語レベルが「0」です。

● 日本語を混ぜた英語も通じません！

　日本政府が目指す「訪日外国人観光客数を2030年までに**年間6000万人に**」という目標は、現在の増加傾向から考えても、おそらく達成するでしょう。その過程で、**いちばん増加すると考えられるのは**、レベル1 の初級者ビジターです。そして、繰り返しになりますが、この レベル1 のビジターこそが、最も消費力がある、ありがたいお客様でもあるのです。

　この方々に向かって（ついやってしまいがちなことですが）、例えば「I am *Nihonjin*」と言った場合、I am は通じますが、Nihonjin は通じません。「You have *Wasuremono*?」ではなく、「You have a **lost item**?」と言うことが必要です。「*Gomi* please」は「**Garbage** please」でなければ通じません。

　とにかく、**日本語を混ぜた英語は一切通じない**ことを念頭に置いていただき、昔学んだ**中学校の英単語**を引っ張り出して並べた"eigo"で頑張るしかありません！

①②③ レベル別 おもてなしポイント！

レベル1 初級

日本語は Japanese Language、知識はゼロ！

　初来日の一見さんは「Nihongo」という単語も通じません。I am Nihonjin. と言っても、I am はわかりますが、Nihonjin はわかりませんので、一切通じません。私の母親のように声を大きくしても、R の音を丸めて英語っぽく話しても通じません。Do you like Sashimi? ではなく Do you like raw fish? と、簡単な単語で構いませんので、すべて英語での対応が必須になります。

Photo: MediaFOTO / PIXTA（ピクスタ）

日本語は「にほんご」、
まだまだ緊張してます！

　「スミマセン、おダイバはドコですか？」と訪ねてくる外国人のほとんどが、この レベル2 だと思ってください。緊張しながらコワゴワ聞いてくる雰囲気が目印となります。日本にリピーターとして来てくれているか、日本語を勉強しているなど、5年未満の滞在経験の方が多いかと思います。

　この方々は、一生懸命です。日本の常識がある程度わかっていますので、日本人に迷惑をかけたくないと思っています。日本語を間違えたり、言われたことを理解できなかったら申し訳ないと思っており、日本人との会話はすご～く緊張します。緊張しているにも関わらず、日本語で話そうとしてくる姿勢はとても偉い！と思いたいです。

　こういった レベル2 の方々の地道な努力に対しては、親切に対応したいですね。

　日本語のままでいいのですが、カタカナワードを多めに入れたりして、敬語をあまり使わないでゆっくり話してあげれば、問題なく通じます。

　例えば「召し上がってください」ではなく、「食べてください」。

　「ご都合はいかがですか」ではなく、「時間ありますか？」。

　シンプルな「にほんご」での対応にトライしてみてください！

レベル3 （上級）

日本語は「日本語」！
問題なし！

　このレベルの外国人には、終始「日本語」対応で問題なし！　ただ、（私も含めてですが、）レベル3でもどうしてもパーフェクトな日本語にはなりません。たとえ日本語能力試験1級を合格していても「言葉のミスは失礼である」と認識している人が多く、日本人の前で語ることや、センシティブなトピックを議論することは苦手です。ですが、日本語を勉強している長期滞在の方々＝仲間の意見は、このインバウンド王国日本において大変重要です。

　このレベルの外国人への対応としては、たとえ日本語に少し訛りがあったり、単語の使い方間違っていたり、話の内容が100パーセント理解できなかったりしても、「普通」に接していてください。普通に。訛りを真似してみたり、単語の使い方で笑ったり、理解できていないことに驚いてみせたりすると、自信がなくなってしまいます。

　頭の中での和作文が間に合わないため、少しわかりづらいことは多々あります。そういうときには「どういう意味ですか？」と、普通に聞いてあげるともう一回説明できるチャンスを与えられて、相手も安心するでしょう。

　また、理解してもらえていないなと思われるときにも、「ちょっとごめんね。　繰り返しになるけどもう一回説明してもいい？」とぜひ言ってあげてください。よく理解できず悔しい思いをしているレベル3の方にとっては、リピートは大きな救いになるのです。

　安心感を与えることで、言葉のバリアは一気にクリアできるのです！

100%英語での案内が必要な レベル1 のゲストを想定したダイアログです。
🧑=ゲスト、👩=あなたです。音声を聞いて、真似して言ってみましょう。ロープレにも取り組みましょう。Let's do this!

◎英語大丈夫ですか？

Excuse me, do you speak English?
すみません、英語は話せますか？

Not very well, but do my best.
上手じゃないけど、頑張ります。

Oh, thank you so much.
あ、ありがとうございます。

◎落とし物の問合せ

I lost my wallet and I don't know where to go to see if it has been turned in.
財布を落としてしまい、届けられる場所はどこになるか、わかりません。

Oh, your wallet. Otoshimono?
ああ、財布。落とし物？

Umm.
……。

Oh, lost the wallet.
ああ、財布の落とし物

Yes.
そうです。

◎交番をご案内

Koban police box .... Please go to the Koban police box. It is near the station. They can help you.
交番に行くといいですよ。駅の近くにあります。そこで相談できます。

 Wow, thank you so much for letting me know. I really appreciate it!
教えてくれて本当にありがとう！ 感謝です。

My pleasure. Have a nice day.
どういたしまして。良い1日になりますように。

 You too!
そちらも！

TOPIC 7

Restaurant
料理店

> せっかくのおいしい料理も、内容が
> 伝わらなければ味わえない、思い出
> にならないのでもったいないですね！

Photo: 櫻井賢一 / PIXTA（ピクスタ）

● 地元の中華料理名店で
「え？　ここはラーメンあるの？」

名店だけど、
通じてない！

　北鎌倉の駅前に「大陸」という美味しいラーメン屋があります。

　食材が新鮮で、私はここのマーボー豆腐が大好物です。お二人で営んでいる
ラーメン屋さんで、地元の人もよく通う人気店です。そして老舗であるため、
昔ながらののれんや雰囲気が残っており、お客がいないときはお店のマスター
が小さなテレビを眺めている姿が外から見えます。とても温かみのある、どな

たでもウェルカムな雰囲気の、おいしい穴場スポットです。

　カウンターの上にあるメニューは当然ながら全部日本語です。店前の「大陸」という看板も、当然ながら漢字です。ほとんどの日本人は、赤い看板とお店の名前を見れば、この店が中華料理店だとわかるでしょう。

　先日、日本に来たばかりの友人 レベル1 と「大陸」で2度目の食事をしました。

　初回には好物のマーボー豆腐と野菜炒めを食べて、すごく美味しかったため、2人で「もう一度行こう！」ということになったのです。その時は、メニューが読めない友人が私に「任せるよ」と言ってくれたので、「今度はラーメンにする？」とたずねました。すると「え？ ここはラーメンあるの？」と言うので、私こそ、びっくりしました！

● じつはハードルが高いニッポンの飲食店

　 レベル3 の私の目から見ると、この店は明らかにラーメン屋さんなのですが、日本のラーメン店の雰囲気を知らず、漢字も日本語もわからない友人は、「マーボー豆腐と野菜炒めの店だな」と思っていたのだそうです。

　確かに、1回目も2回目も入店時間が早かったので、他のお客さんがおらず、私たちが注文した料理以外のものを目にすることがなかったことを思い出しました。 レベル1 のビジターにとっての日本の飲食店のハードルの高さがさらに明らかになってきました。

　この私の友人のように、日本語が通じないだけでなく、何のお店かがわからない レベル1 のビジターがたくさんいると思います。

　こういったビジターさんたちが、飲食店の表に展示されている食品サンプルを好むのは（また時にお土産として購入するのは）、それらが作られる珍しい技術に感動するだけでなく、その飲食店の中で売っているものが何なのかがわかりやすくなるからなのですね。

● いかに "言語のハードル" を下げるか

外国人はローカル
フードにトライしたい

　現在、「大陸」のようなお店が、全国に数えきれないほどあると思います。

　日本の人口減少により、こういった小さなお店の客足が薄れていく可能性は否定できませんから、もしもあなたが個人で飲食店を経営されているのであれば、これからは日本人のお客様だけでなく、ぜひとも生き残りのためにも**外国人のお客様を増やしたい**ところですよね。

　しかも、ほとんどの レベル1 ビジターは、海外のファストフードよりも日本のローカルフードをトライしたいと思っています。ですからぜひとも、飲食店さんも、ガイドさんも、いろいろな角度から言語のハードルを下げる工夫をして、お互いに、おいしい思い出を作りましょう！

　店舗の規模やロケーションは関係なく、「1，2，3ツーリズム法則」の考えには、活用可能な共通のコツがあります。まずはメニュー、料理名を**英語で伝える工夫**からスタートしましょう！

①②③ レベル別 おもてなしポイント！

レベル1 初級

のれんをくぐるだけで 緊張しています！

初来日の レベル1 の方にとって、ローカルフードのお店での食事は、特別な「ジャパニーズ体験」となります。このレベルのビジターは色々と緊張しています。マナーがわからない…言葉がわからない…お店にいるスタッフや主人に迷惑をかけるのでは…などなど。

まず、お店の前に Welcome 看板（その一言だけでOK！）に加え、何の食べ物なのか、表に見本を出してあげましょう。

文字でのご案内では、頭に Japanese をつけるとよりわかりやすいですね。これは「日本スタイル」という意味があり、それによって「あなたの国の料理の味と異なるよ」というニュアンスが伝わり、日本的な体験である印象をもたらすのです。たとえば、Japanese Ramen（ラーメン）、Japanese Soba（蕎麦）、Japanese Hamburger（ハンバーガー）、Japanese Pasta（パスタ）などのようにすると、よく理解できますし、目を引きます。

そして笑顔で「いらっしゃいませ！」「ようこそ！」と、歓迎の気持ちを伝えます。もちろんそれは日本語でOKです！

次に料理についてですが、ビジターたちの気持ちは、「日本人が食べているのと同じものを食べてみたい！」が基本です。例えば、This set is most popular among Japanese customers.

Please try!（こちらのセットは日本のお客様に大人気です！ ぜひ食べてみてください！）のような感じで人気の定番セットを教えてあげると、 レベル1 の方も注文しやすいです。

　自国の食べ物と異なるものを食べてみたい…それこそが食の体験となります。気に入るものばかりではないかもしれませんが、実際に食べてみて、新しい味わいを知る、食の非日常体験を提供しましょう！

　そしてもう１つ注意なのは、食において制限があるビジターも少なくないということです。

　中でも多いのが、ベジタリアンとビーガンの方々です。そういうお客様に対しては、下記のようなご案内が必要となってきます。

● **Vegetarian Set (no meat or fish).**
（お肉・お魚が一切入ってないセット）

● **Vegan Plant Based Set, no animal products.**
（動物性のものが一切入ってないセット）

　この両方を提供すると、ベジタリアンとビーガン対応が完了です！

　ちなみに、日本ではビーガンやベジタリアン対応のお店はまだまだ少ないのが現状です。もしあなたのお店がベジタリアンやビーガンに対応している場合、ビジターたちはその情報を、一生懸命ウェブサイトやSNSにアップしてくれますので、さらなる誘客の導線が出来上がります。

　これは私が受けた印象ですが、欧米豪と台湾からのビジターであれば、**５名でご来店されると、そのうちの１人ぐらいがベジタリアンやビーガンである可能性が大きいです！** そういう時代です。ご来店グループの１人が何も食べられないとなると、５名全員が別の店に行ってしまいます！ Oh No! グループご一行様の売上チャンスを逃さないためにも、ベジタリアンとビーガンセットを用意しましょう！

むずかしくない「にほんご」
でのメニューが、よめます！

　このレベルは、日本語メニューに「ふりがな」がついていれば、より
多くの品を注文できます。簡単ですけれど、これ、結構効果があります。
日替わり料理の看板や黒板にも、ふりがなを忘れないでね！

食材の生産地や種類を
知りたい！　興味がある！

　このレベルは、メニューは日本語のままで読めますが、より多くの情
報に興味をもっています。例えば「地産地消ですか？」「どこの豚？」「ど
この牛？」「お米はどんな品種？」「どこの地域のもの？」などなど、食
材の生産地や種類などに、 レベル3 の皆さんは興味津々です。
　ですから、メニューや黒板に日本の地図を表示して、それぞれの食材
の仕入れ先をピンで示すのもいいですね。
　お料理や食材の産地や話題を提供すると、お話のネタを探している
 レベル3 の“広告塔”が、たいへん助かります。お店にお友達を連れて
くることも増えてくると思います。できるところからアクションしてい
きましょう！

おもてなし接客英会話 飲食店でのご案内

100%英語での案内が必要な レベル1 のゲストを想定したダイアログです。
🧑=ゲスト、👩=あなたです。音声を聞いて、真似して言ってみましょう。ロープレにも取り組みましょう。Let's do this!

◎オーダー前にまず確認！

**I don't really know what to order.
Can you help us?**
何をオーダーすればいいか、よくわからないです。
手伝っていただけますか？

Yes, do you have any food restrictions?
もちろん。ちなみに何かの食事制限などありますか？

☞このタイミングで食事制限について聞いておくことがコツです。

Yes, my girlfriend is vegetarian.
はい、彼女はベジタリアンです。

So, no fish or meat right?
では、お魚とお肉がダメということですね？

☞ここでお魚もダメかどうかを聞いてみましょう。人によって、お肉はダメでもお魚はOKなこともあります。お魚OKという人でしたら、鰹出汁でも大丈夫ですね。このことを聞くと料理人は少し楽になります。

Yes, that is right.
その通りです。

◎おすすめ料理

Okay, we specialize in Ramen but our vegetable stir fry is also really good. Shall we make stir fry vegetables with sesame oil and salt and pepper for your girlfriend and maybe you would like to try our most popular Miso Ramen?

なるほど。我々はラーメン中心の店ですが、野菜炒めがとても美味しいと言われています。彼女のために、胡麻油と塩コショウの味付けの野菜炒めと、お客様は、一番人気の味噌ラーメンを食べてみますか？

Yes, that sounds great. Okay.
それは美味しそうですね。それでお願いします。

◎飲み物をおすすめする

Would you like to order some draft beer too? We have Japanese beer on tap.
日本の生ビールもありますが、いかがでしょうか？

Yes, one beer and she is fine with water.
いいですね。ビールを一つください。彼女はお水で大丈夫です。

Maybe warm tea?
It is free of charge.
（お水もいいですが）温かいお茶はいかがですか？
無料で提供しています。

☞ほとんどの レベル1 のビジターには、お茶が無料で提供される場合があるという認識がありません。一言添えてあげると、お水ではなくお茶にする方が多いです。また、選択肢を与えることはそのお店の付加価値にもなります！

Oh yes, she'll take warm tea.
あ、だったら、温かいお茶をお願いします。

So, one stir fry vegetable, one miso ramen, one draft beer and one warm tea.
では、野菜炒めが１つ、味噌ラーメンが１つ、生ビール１つと温かいお茶ですね。

Yes!
はい！

We will make that right away. It will take about 10 minutes. Is that okay?
ではすぐに作り始めますね。10分ほどかかりますが、よろしいでしょうか？

☞限られている時間の中で動いている レベル1 の方に、所要時間を伝えると親切です。

Yes, that is fine. Thank you.
問題ないです。ありがとうございます。

TOPIC 8

Accommodation and Food
宿泊と食

CD 16

世界的に有名な「和食」の本場、日本。ですがビジターのレベルによっては注意しなくてはいけないことも。せっかくなら、ただの"食事"ではなく、思い出深い「食体験」を味わっていただきたいですよね！

Photo: NOV / PIXTA（ピクスタ）

　あるとき、私と同じ レベル3 の仲間（長期滞在者）の外国人と一緒に、旅館のコンサルティングの視察に行きました。このときの出張の目的は、その地域での外国人受け入れ体制を強化するためだったのですが、訪問している私たちの中では、「受け入れ」といえば**宿泊施設の受け入れ体制に尽きる**という認識があります。外国人に宿泊してもらえれば、その地域のほかの場所を訪れるチャンスが増えますし、宿泊による経済効果も期待できるからです。

● 宿泊そのものが「旅の楽しみ」になる

日本人の国内旅行の傾向として、「日帰り」が多くなってきていると、街の方々から事前に聞いていました。日本人の日帰りが増えていることが、地域の旅館の売り上げ減少の原因となっているともいえるでしょう。

対して外国人、特に欧米豪の レベル1 にとって、日本の旅館で泊まることは、日本旅行での楽しみの一つになっています。価格帯に関係なく、ビジネスホテルやシティホテルよりも、「旅行中に1回は日本的な宿で泊まりたい」というのが、多くの レベル1 ビジターの心理です。

つまり、**宿泊そのものが外国人ビジターにとっての楽しみ**であり、旅館や民泊を営む経営者やオーナーにとっても重要な財源になると思うので、どの地域でコンサルティングを行う際も、宿泊先を見ることを重要視しています。

（皆様もご経験があるのではないかと思いますが）どこかに旅行に行って、「天気が最悪で何も景色が見えなかった」や「行きたいところが満席で入れなかった」などといった不満の残る体験をしたとしても、**宿泊先さえ良ければ、何となく旅そのものも良い思い出**となりますよね。

外国人もそうです。悪天候や売り切れで、やりたかったアクティビティなどができなかったとしても、「宿での体験が素晴らしかった」「日本料理が食べられた」「スタッフと触れ合えた」などの内容でご満足いただけると、旅そのものがハッピーな印象として残ります。

●「日本的」は魅力的だが注意も必要

さて、「日本的な宿泊先は大事だ」ということで、地域の日本旅館に、コンサルタントの仲間と宿泊することにしました。

夕飯も朝食もものすごくおいしい料理が出てきて、生魚やお漬物、地域グルメを楽しみましたし、旅館の日本的な雰囲気もあいまって、どのレベルの外国人観光客でもきっと満足してくれると思ったのです。

しかし、視察後のフィードバックのときに、同僚のコンサルタントが言ったことで「なるほど」と大いに納得したコメントがありました。

それは、「僕は日本が長いので、朝食にわかめサラダが出るとか、夕飯にお刺身が出るのはとてもありがたくて大好きですが、**米国に住んでいる僕の母親をここに連れて来るのは、躊躇するかもしれない。見慣れない食が多すぎて、よっぽど冒険心がなければ、ほとんど食べないと思うので**」というものでした。

その通りだなと思いました。TOPIC 7 の中華料理店の話では「何の店なのかわからない」という状態でしたが、それどころか、料理自体を見ても、それが何なのかがわからないという事態が発生することになるのです。

そのビジターにワカメを食べる習慣がなければ、サラダに入っている「不思議な食感の緑色の…野菜？」となりますね。また、お味噌汁の中身が見えないので、ちょっと混ぜてみたらお魚の顔が上がってきてびっくり！とか。考えてみれば、ハードルが高いですね。

● 和食のレベル別対応はこれだ！

それでは、レベル 1，2，3 に合わせて、**心地よさとチャレンジの比率**を考えていくために、まずは**外国人の目線**に立ってみましょう。ご案内のやり方を工夫すれば、どのレベルの人でも楽しめるような内容にできますよ！

まず重要なのは、チャレンジの比率を念頭に置くことです！

「心地よいゾーン」対「チャンレンジゾーン」の比率は、こんな感じです。

> レベル 1：心地よい **8** 対 **2** チャレンジ
>
> レベル 2：心地よい **7** 対 **3** チャレンジ
>
> レベル 3：心地よい **5** 対 **5** チャレンジ

この比率でご案内をすると、お料理を完食してくれたり商品を購入してくれたりと、喜んでいただける可能性が高くなります！

お土産屋さんや食品店などで、どれをアピールしたりおすすめしたりするのか、もしくは、お食事会で提供する食べ物を検討する際に相手の「レベル」を考慮すると、食べ残しや 売れ残りがなくなり、「悔い残し」も回避できるはず！

では、チャレンジレベルに合わせての、リアルな料理例を分けて考えてみましょう。

●低チャレンジ（ レベル1 ビジター向け）
火が通っているもの全て
（野菜、魚、肉、豆腐など）

●中チャレンジ（ レベル2 ビジター向け）
中身が見えないもの
（肉まん、しそ入りカツ、不透明な汁物、巻物、お饅頭など）

●高チャレンジ（ レベル3 ビジター向け）
ネバネバ、形がそのままの料理 、生もの、酢、味噌、練り物
（納豆、めかぶ、刺身、なますなど）

次のページからは、具体的なメニューを例に挙げて、さらにわかりやすくチャレンジレベルを設定していきましょう。

① ② ③ レベル別
おもてなしポイント!

レベル1 初級

心地よい「8」:チャレンジ「2」ぐらいが安心!!

このレベルのビジターに向けて、食べ物をお土産としておすすめする場合は…。

● **和菓子、せんべい、枝豆、エビせん** など ＝8割!
● **かまぼこ、漬物、イナゴなどの珍味** など ＝2割!

低チャレンジ品を中心に楽しみ 、高チャレンジ品は日本の思い出体験にするというスタンスです。

そしてお土産は、日本的な「12個詰めの箱入り」などではなく、それぞれ2～3個程度で十分です。

ですので、お土産店さんは、外国人向けに店舗商品の福袋を作るのがおススメです! 例えば「8対2でチャレンジ食が入った2,000円お土産パック」などを作ると、売れるかもしれないですね!

Photo: my room / PIXTA（ピクスタ）

レベル2 中級

心地よい「7」：チャレンジ「3」で完食！！

　このレベルのビジターに向けた夕食は、例えばこんな感じでおすすめするといいでしょう（お土産は、レベル1 を応用して、「心地よい」と「チャレンジ」の割合を、7対3にシフトして考えましょう！）。

●お通し：揚げ豆腐や枝豆 など
　⇒生ビール、ワイン、ソフトドリンク など
　⇒お刺身や大根サラダ など
　⇒天ぷらや焼き鳥や豚カツ など
　⇒ご飯と味噌汁

＼ 心地よい！ ／

＼ チャレンジ！ ／

　このような内容でご案内すると、完食の可能性が高くなります。
　刺身や大根サラダ、そして味噌汁という高チャレンジ品も克服し、満足していただけます。「おいしい！」というコメントとともに、SNSに上がること間違いなしです！

レベル3 上級

お魚の "姿造り" は
ちょっときびしいです…

　このレベルの上級者向けのおもてなしを成功させるために大切なことがあります。それは、お刺身、もずく、かまぼこ、お魚の 味噌漬けなどのハードル高めの料理に、天ぷら、唐揚げ、茶碗蒸し、つくねなどといった、比較的馴染みやすいおかずを加えると、チャレンジレベルが半分半分となって、バランス抜群です！

　レベル3 のビジターで日本語がよくできる方も、「一応」外国人なので、普段食べているものは純和風でない可能性が大きいのです！ ですので、100％日本風の料理で固めるのは避けたほうが無難だと思います。

　とくに、「形」そのままの 盛り付けは要注意です！ 例えば、テーブルの真ん中に大きなお魚がそのまま捌かれて出されていて、「体そのもの」からお箸で刺身を取って食べるケース（姿造り）ですね。

　私（レベル3）は30年かけて、どうにか食べられるようになりましたが、このチャレンジは、95％の欧米豪の人にとって、ハードルが高すぎます！「テーブル上に置かれた、丸ごと1頭の牛から肉を切り出して、その場で焼く」という食べ方がもしあったら、驚きますよね？ ほとんどの方は食べられないことになると思います。「姿造り」のお魚食は、多くの外国人にとって、同じ気分になるのです。「I'm sorry!」と感じながら召し上がっていただく状態を避けるためにも、初めてのお相手の場合は、「形」のままの料理は避けたほうが無難だと思います。

　食べ物も悔いも「残り」がないように、全レベルの外国人ビジターを、貴重な和食体験へていねいに導きましょう！

同じ宿泊施設で連泊になっている レベル1 のゲストを想定したダイアログです。👤=ゲスト、👩=あなたです。音声を聞いて、真似して言ってみましょう。ロープレにも取り組みましょう。Let's do this!

◎ごちそうさま！

> Wow, that was a really great meal.
> So much food!
> 素晴らしい夕食でした！ 食べ物がすごく多かったね！

> We are so happy you liked it.
> お気に召され、何よりです。

◎内容変更依頼にこたえる

> Would it be possible to have
> something simple tomorrow night?
> 明日の夕食は何かシンプルなものに変更可能でしょうか？

> Ah, simple? What were you thinking about?
> えーと、シンプル？ 例えばどのようなものでしょうか？

> Well, maybe some rice and soup
> and just a bit of tempura?
> あ、例えば、ご飯と味噌汁とちょっとだけの天ぷらとか？

> Um. Oh, okay. I can ask the chef but it
> might be difficult to change since the
> ingredients have already been bought.
> そうですね。シェフに聞いてみますが、食材はすでに購入済みかもしれないので変更は難しいかもしれません。

◎変更事項のすり合わせ

Oh, you don't need to change the price or anything. We just don't want to eat as much as we did tonight. In fact, for tomorrow's breakfast just toast and coffee is fine too.

あ、料金を変える必要はありませんよ。希望として今晩ほどの量は不要ということです。それだけです。また、考えてみれば、明日の朝食もコーヒーとトーストだけで大丈夫です。

Well, we are not used to having such a simple menu, but if you are okay with paying the same price, we are happy to simplify the meals.

そうですか。シンプルなメニューを提供することに慣れてないのですが、もし料金の変更が必要でないのであれば、どうにか対応できると思います。

Yes, just for tomorrow morning and night. We really appreciate it.

そうですね。明日の朝食と夕食だけで大丈夫です。ご対応をありがたく思います。

My pleasure. I hope you have a great stay here.

喜んで。ご滞在が素敵な思い出になりますように。

We already are having a great stay! Thanks to you and your staff!

すでにとてもよい体験になっています。皆様のおかげです！ ありがとう！

TOPIC 9

Washoku Breakfast Experience
和食体験〜朝食〜

CD ⑱

> 宿泊先やシチュエーションにもよりますが、日本的な朝食も、重要なおもてなしポイントです。これもまた1、2、3の法則で、しっかりご案内いたしましょう。

Photo: Key West / PIXTA（ピクスタ）

● サラダですら驚きの体験！

朝サラダに
外国人ビックリ

「サラダが朝食に出るのね？　面白い！」と言ったのは、高知に一緒に行った レベル1 の友人です。アメリカ人の朝ごはんは**フルーツ、卵料理、パン類やシリアル**というケースがほとんどです。私も南山大学で語学留学をしていたとき、ホストファミリーの家で出た朝食には、必ずサラダがついていました。朝にサラダを食べるのは、とてもとてもいいことだと思いますが、慣れるのに時間がかかりました。チーズやパン、フレンチトーストなどが朝食の主流である

人たちにとって、朝ごはんにサラダが入ってくるのは**フレッシュ（新鮮）な体験**ですね。

新鮮な野菜の入ったサラダが朝食に出るだけでびっくりする人がいるとしたら、生魚やわかめ、お漬物、焼き魚が出てしまった日には、**驚く以上**となりますね。新鮮な経験がありすぎて、**食べられない可能性**が出てきてしまいます。

当然、「食べられない」となると、料理を残すこととなり、万国共通のマナーとして「食べ残しは作った人に悪い」という常識のもと、いやいやながら罪悪感で無理して食べるか、申し訳ない気持ちで残すこととなってしまいます。

外国（日本）にいるビジターたちは、レベルに関わらず、**失礼な行動は極力とりたくない**と思っているのです。

● 相手の身になって考えること

食べ物を残す、もったいないことをするとよくないという万国共通の認識がある以上、ビジターさんたちが**食べやすい朝食**を用意したいですね。サラダでしたら、大きなハードルはありません。また、**日本の通常の洋食朝ごはんは、**（ベジタリアンや食事制限を持つ方を除いて）ほとんどの方々が食べられます。

あとは、和食について、特に郷土料理をご案内・ご提供する場合は、（TOPIC 8 で紹介した）ビジターさんの**レベルとチャレンジ度**に配慮したいですね。うまくいけば、ゲストの皆様は高い評価を与えてくれて、お友達などに宣伝をしてくれ、**飲食店に良いお客様を誘致できる好循環になるでしょう！**

外国人ビジターをおもてなしする際に、外国人の利用がよくあるお店や旅館を選ぶなど、様々な場面で食事の「1，2，3」をよく理解し、**相手の身になって考えること**が必要です。そうでないと、**せっかくの招待や接待、そしてご馳走が相手にとって辛いもの**となってしまうかもしれません。

相手のレベルを考慮することは、とても**大切なフィーリング**になります。ぜひとも食べ物のハードルの「1，2，3」を想定し、ビジターさんたちに**ハッピー**に**パクパク**と食べてもらえるような美食体験を創造しましょう！

①②③ レベル別
おもてなしポイント！

ワン ツー スリー

レベル1 初級

「日本の洋食」だけで
十分な体験！

　実は、このレベルのビジターにとっては、日本の洋食だけで十分なジャパニーズ体験となります。日本の「モーニング」は、一見さんの外国人にとって、どこか懐かしい感じがありながら、「ブレンド」コーヒーの濃さや、「アメリカン」は「薄いよ」＝「ウィーク（weak）だよ」と説明すると、その皮肉的な理由をとても楽しんでもらえるはずです。また、厚切りのバタートーストやイギリスにあるような味の牛乳など、レベル1 のビジターには、日本での朝食は、モーニングセットがちょうどいいです！

レベル2 中級

「和朝食」をトライしたい人
多し！

　このレベルは、和朝食をトライしたいと感じている方が多いはず。ですが、「バリバリのジャパニーズ朝食」を出してしまうと、かなり戸惑います。彼らは、「お箸は使えるが、高度な技が必要な料理（焼き魚、納豆、わかめ、生卵など）は食べづらい…」と感じています。

　このグループには、小さなサラダの場合、横に「サラダ用」フォークを置いてあげれば、プライドを傷つけることなく、さりげない感じでお箸からフォークへの乗り換えができます。

　「和」の食べ物は大歓迎ですが、**丸ごと食べられる**シシャモや骨がほとんどないシャケなどが親切です。お新香、味噌汁、ご飯やうどんも大歓迎。**梅干しは究極のチャレンジ**となります。「酸っぱい！」で盛り上がるはず！

　なお、「朝はコーヒーを飲みたい」と思う可能性が高いので、用意があるとより親切ですね！

レベル3 上級

なんでもトライしたい！知りたい！

　この レベル3 のビジターたちは、Everything is Okay!（なんでもOK!）と、とにかく何でもトライしたい、そして食材についても知りたい人たちが多いです。とくにご当地料理を体験したいと思っており、歴史的背景、どこの山や海からとっているのか＝産地、作り方や味は他の地方とどう違うかも知りたがっています。そして、日本人の食べ方で食べたいと思っているのです。

　例えば、全国の旅館やホテルにある朝食ブッフェを想像してみましょう。和食、洋食、サラダ、フルーツやパンなど、料理がタイプ別に分けられ、ケースやお皿に並べられています。私としては、まっすぐに和食コーナーに行き、それぞれのお皿に並ぶ生しらす、辛子明太子、大根お

ろしなどを盛り合わせます。醤油をちょっとだけかけ、ご飯と一緒に食べると何より幸せですね！

　ですが、 レベル3 のビジターさんでも、日本食をどう組み合わせるかについては、よくわかっていない人も多いです。梅干しをお箸でうまく拾い上げられるか心配だったり、生しらすを大根おろしと混ぜるか別々に食べるかよくわからなったりして、「安全」と感じる洋食コーナーで朝食を済ませてしまうことも。

　でもやはり、お惣菜やお漬物など小さな美食が豊富な日本だからこそ、美味しい食べ方を知っていただき、一緒にエンジョイしてもらいたいですね。

　しかし残念なことに、それぞれの食べ物の食べ方を説明しているブッフェは、今のところとても少ないです。そうなると、周りの日本人の食べ方を見て真似する以外はないのですが、やはり レベル3 でもだれでも、隣の人の盛り合わせ方をじろじろ見るのは、なんとなく申し訳なく感じます。こんな場合には、イラストや実際の出来上がりイメージの写真を近くに置くと親切です。楽しい「食べ方」動画を作るのも良いアイディアですね。

　ぜひとも外国人の方々にも、「しらす＆辛子明太子＆大根おろしをミックスし、お醤油をかける」という絶妙な味わいを体験して欲しいですね！また、メニューなどにはふりがなを忘れずに！

おもてなし接客英会話 和朝食体験へのご案内 CD 19

日本に来て初めて朝食を食べる レベル1 のゲストを想定したダイアログです。
😊=ゲスト、😊=あなたです。音声を聞いて、真似して言ってみましょう。ロープレにも取り組みましょう。Let's do this!

◎モーニングセット

Good morning, may I take your order?
おはようございます、ご注文はいかがでしょうか?

 I saw that you have a "morning set" on your sign outside. What is that?
外の黒板で「モーニングセット」と書いてあるのを見ました。それは何ですか?

Well, it is like a Western Style breakfast. Boiled egg, little salad, thickly sliced buttered toast, and coffee.
そうですね…少し洋風なブレックファーストセットです。コーヒー、厚切りバタートースト、ゆで卵と小さなサラダのセットです。

◎日本で人気なの?

 Wow, sounds good! Is that popular in Japan?
いいですね! 美味しそうです! それは日本では人気があるのですか?

Yes, people like to eat a Morning Set to power up before a day at the office.
はい、モーニングセットでパワーをつけてから1日のオフィスワークに臨む方が多くいます。

◎SNSにアップしてください！

Oh, that is awesome.
Yes, I will take one "morning set".

なるほど、面白いですね！ では、モーニングセットを一つください。

Please feel free to take a
photo and share it with friends.

よろしければ、写真もとってアップしてください！

I will do that, thanks!

そうします！ ありがとう！

No problem. Coming right up!

どういたしまして。ではすぐに持ってまいります。

◎知らない食材〜ワカメ〜

Excuse me. What is this?

すみません。これはなんですか？

That is something called wakame.
It is a kind of seaweed.

それはワカメというのです。海藻の一種です。

Oh. Wow! For breakfast?
What does it taste like?

そうですか？ 朝食に？どのような味ですか？

Well, it is soft a little bit salty.
It tastes great with salad.

そうですね。柔らかく、ちょっとだけしょっぱいです。
サラダと一緒に食べるとおいしいです。

With salad? You mean with regular dressing.
ええ？ サラダと？ 普通のドレッシングで？

Yes, it is super healthy and the minerals are said to be good for your hair.
そう！ とてもヘルシーだし、ミネラルも豊富なため、髪にもいいと言われています。

Oh, I like that. So I just put it on my salad. Mix it in?
それはいいですね。じゃ、サラダにのせるだけですね。混ぜた方がいい？

Yes, just put a bit on your salad. I think you will like it.
そうです、サラダにちょっとのせるといいですよ。気に入ると思います。

Thank you for letting me know about this. Wakame. Wakame. I'm going to try and remember that.
教えてくれて、ありがとうございます。ワカメ。ワカメ。覚えるようにしよう！

Have a nice meal!
食事を楽しんで！

TOPIC 10

CD ⑳

Washoku Lunch Experience
和食体験〜昼食〜

ビジターをおもてなしする際、ほぼまちがいなくご案内することになるのが昼食です。「和食」はたしかに喜ばれることが多いですが、注意しなくてはならないこともあります。

Photo: たけちゃん / PIXTA（ピクスタ）

　外国人をおもてなししていると、ベストを尽くしたいと思いますよね！ ですが日本人にとっての「ベスト」が、外国人にとって「非常に高いハードル」となってしまうことがあります。これでは、せっかくの「おもてなし」が、「だいなし」となりかねません！ ここでも「1，2，3」を考慮するだけで、すべてのレベルの外国人への対応は問題「なし」になりますよ！

● 意外と高い日本の飲食店の "ハードル"

ランチタイムはレベル関係なく、外国人ビジターにとっての楽しい体験タイム。日本のランチは高額ではなく、しかもローカルフードを地元の方々と食べられるイベントになります。ビジターにとっては、滞在中の楽しみの1つになっています。

しかし、「訪日観光客が日本のレストランに入る」というハードルは、まだまだ高すぎると思います。現状、すごく勇気ある レベル1 と レベル2 の人、あるいは レベル3 の人しか入っていないと言えるかもしれません。

例えば、多くの外国人が一度は入ってみたいと思っている、駅のホーム上や構内の立ち食いそば！ これは レベル3 の私からみても入りにくい！

そばを売っているのは見ればわかりますし、チケットは販売機で買うのだということもわかりますが、難しいのは雰囲気です。日本人のお客さんたちを見ていると、とても慣れた様子でパッとお店に入って、パッとチケットを買って、パッと食べています。これには外国人ビジターはついていけません。システムがわからない私が入ってしまうと、券売機で時間がかかり、自分が注文した料理が出来上がった時の呼びかけへの反応が遅くなります。さらにどう片付けるかがわからなかったりすると、他のお客さんやお店のスタッフに終始迷惑をかけてしまうリスクがあると感じてしまいます。

● 食文化や言葉以外でのわかりづらさ

レベル3 の私にとって難しい状況であれば、 レベル1 の人には乗り越えられないハードルということになります。先日、バリバリの レベル1 の母親を渋谷の立ち食いそば店に連れて行ったところ、食材の知識や言葉の問題を超えるわかりやすいミステイクがありました。

私が注文した料理をフロントで受け取り、テーブルに戻ると、母親はカウンターの上にあるピンク色の濡らしたタオル（カウンターを拭くためのふきん）

で口を拭いています！「やめて！」と注意すると、「え？ おしぼりではないの？」と言われました。

　考えてみれば、日本のおしぼり文化は レベル1 の人にとってわかりづらいですよね。そのピンク色のタオルはおしぼりのように丸めてありましたし、おしぼりと同じようなトレイに置いてあったのです。タオルの色を見てそれが「掃除用」のものであると区別ができるのは、日本人と レベル3 の外国人たちだけだな…と思いました。

　「おしぼり・ふきん」問題から始まり、立ち食いそばだけでも難易度が高いことと考えると、どのローカルフードの店（そば以外では、定食、ラーメン、餃子、ファミリーレストランなど）も、マックや海外にもあるファストフード店に比べて、入りにくいと思います。

● まずは何よりも歓迎の意思表示を！

これでハッピー！入れる！

　もしもあなたが飲食店で働いているのであれば、解決策はすぐに実行できます。

　外国人が入りやすい状況を作るためにもっとも手っ取り早い方法は、スタッフの笑顔です。店の入り口付近で、外国人が入るかどうか悩んでいる姿を見かけたら、笑顔で「いらっしゃいませ！」と呼びかけるだけでも、ビジターの心には、店に入る勇気が湧いてきます。

　また、チケット販売機の使い方をかんたんに説明などすれば、さらにベターですね。要はそのお店で働いている人が、ビジターさんを歓迎している気持ちが伝われば、レベル1 の外国人でもお店に入る勇気が出ます。

　また、前の TOPIC でも触れたように、店の表に「Welcome」と書かれた看板と、何の店なのか、例えば「Japanese Soba Shop」「Japanese Family Restaurant」などと書いておけば、外国人顧客が増えるに違いありません。

　さらに、ふきんの横に「This is used to wipe the table.（テーブル拭き用）」のように断り書きを貼っておくなど、色々な対応力アップの工夫が見えてくれば、完璧です。とはいえまずは**ウェルカムな雰囲気**を、**スタッフ発信で送ることが大切**です。

　それを実践しているひとつの例に、歓迎の雰囲気を見事に醸し出す、品川駅のホーム上の立ち食いそば屋さんがあります。もともと レベル2 だった友人が長年の常連となり、数名の レベル1 をお店に連れて行くという、大事な広告塔になっているようです。友人はその店長のために、わざわざアメリカからお土産を買ってきたこともあったようですね。その店のウェルカム作戦で、彼はその店のボランティア営業マンと化しています！

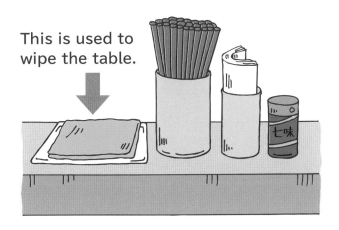

This is used to
wipe the table.

① ② ③ レベル別 おもてなしポイント！

レベル1 初級

親近感のある食べ物＋ちょっとの新しい体験がうれしい！

　コンビニの食べ物の魅力は「見てわかる」そして「すぐ食べられる」ことです。　レベル1 のビジターへの昼食は、このイメージで考えるといいですね！　たとえば、コロッケ、卵焼き、キュウリのお漬物、ざるそば、サンドイッチ、ヨーグルトや果物ベースのソフトドリンクなどのような、形や色に親近感をおぼえるものをチョイスするといいですね。すでによく知っているものに日本風アレンジが 加わることで、めちゃめちゃ楽しいものになります！

　例えば、レベル1 の方たちから「ライス　トライアングル」と認識されているおにぎりですが、梅干し以外の中身が存在するということを知らない方たちもいます。「ライス トライアングルを3個（シャケ、昆布、ツナ）にお味噌汁、そしてキュウリの漬物を加えたランチ」は、（お米などの）見て分かる食べ物がメインとなり、ビジターにとって「新しい味覚」となる昆布とお味噌汁を楽しんでいただけますよ。そしてツナとシャケは慣れている味なので、チャレンジレベルのバランスが取れていることになります。

　そして、デザートはフルーツがいいですね！　日本人のフルーツの切り方（ウサギの形のリンゴなど）は、インスタ映えばっちりですね！

レベル2 中級

思い思いのやり方で
日本的な料理体験をしたい

　このレベルのビジターは、**立ち食いそば、ラーメン、天丼、唐揚げや鯖・シャケなど（＝骨の少ない魚）の定食**を喜びます。お箸を必要とする料理でも大丈夫ですが、「スープやサラダ用」として、さりげなくスプーンやフォークを用意してあげるといいですね。

　そして、日本人からすると「それはちょっと…」と思ってしまいそうになる、**ソースや調味料をドバドバかける方**がいても気にしないで！ それぞれの国の味覚がありますし、日本人らしい食べ方をおすすめしたとしても、必ず「Why?」と言われます。それに対する答えは説明しづらいですし、**レベル2** のゲストはそもそも、その説明に納得するほどの基礎知識がまだありません。思い思いの食べ方をすることで、**日本的な料理体験**をしてもらうことが、このレベルの方へのおもてなしとなります。

　これについては、逆の立場で考えるとわかりやすいかもしれません。たとえ海外であっても日本人の多くはリンゴを食べる時に、皮をむきますよね。同じように、現地の方たちが「やらない」ということとは関係なく、日本流で食べることがあると思います。

　レベル1 と **レベル2** のビジターもこれと同じで、出身国ならではの食べ方で、和食を食べるわけです。それが楽しい異文化体験になると考えてください。ただ1つ、定食などについてくる**薬味とお漬物の食べ方の違い**だけは、教えてあげてくださいね！ ワサビをがぶりと口に入れてしまった中級レベルの友達がいて、**涙が止まらない昼食**となってしまったことあります！

有名レストランや料亭に GO!

　このレベルのビジターさんたちは、有名レストランや料亭でのランチをとても喜びます。個室に入り、掛け軸や生花にも気づき、感動します。

　レベル3 は、さらなる日本の知識を追求していることもあり、全方向に興味がありますので、**お店の歴史など**について、事前に少しだけ調べておくといいですね。そして皆様には再度、**お料理の説明**をしていただきたいです。初めての場合、日本語が聞き取りにくいと感じるビジターが多いので、**お店の方の説明に少しフォローを入れる**とたいへん喜ばれるでしょう。

　例えばお店側から「宮崎牛です」との説明があれば、「宮崎は知っている?」と聞いてあげて、もし知らない or 聞いたことがないようであれば、「九州にある県で、牛肉がとても有名です。神戸牛は聞いたことがあると思いますが、山形・米沢・松阪なども有名です。宮崎牛の特徴は、〇〇です」などと付け加えると、**話がどんどん盛り上がります**。

　もし分からなくても、その場でお店の方に聞いておけば、**次回のおもてなしに向けて、賢い情報収集**となりますね!

レベル1 のゲストを想定したダイアログです。😀＝ゲスト、👩＝あなたです。
音声を聞いて、真似して言ってみましょう。ロープレにも取り組みましょう。
Let's do this!

◎券売機にて

How do I use this machine?
この機械の使い方がわからない…。

Have you chosen your food yet?
もう料理はお決まりでしょうか？

No, I can't read the menu.
いいえ。メニューが読めません。

Oh, okay. How about our main meal, hot or cold soba noodles?
なるほど。私たち（この店）のメインメニューのおそばはいかがでしょう、温かいのも冷たいのもあります。

☞ガイドとしてやその場に居合わせて助言する場合は、our main mealの代わりにthis mealなどと言うといいですね！

◎食べ方のご案内

Is it raw?
生で食べるのでしょうか？

No, these are boiled noodles. They are served in a warm soup or cold and separate that you dip in cold sauce.
いいえ、茹でてあります。温かい麺をスープに入れるか、冷たい麺を別にだし、冷たいつゆに入れて食べるのです。

Okay, cold sounds good.
じゃ、冷たいのがいいですね。

That is called Zaru Soba.
それは「ざるそば」と言います。

◎サイズを確認する

Large size or regular?
大きいサイズか普通のサイズ、どちらにしますか？

☞アップセールズのチャンスを見逃さない！

I'll take large.
大きいサイズをお願いします。

This is the button. The price is here.
こちらのボタンを押してください。お値段もこちらに書いてあります。

Wow, that is cheap! Thank you.
安いね！ ありがとう！

◎おつりとチケット

There is your change. Here is your ticket. Please give the ticket to the staff at the counter.
おつりが出ます。こちらがチケットです。カウンターにいるスタッフにお渡しください。

Thank you, wow this is fun!
ありがとう！ 楽しいね！

Enjoy your meal.
エンジョイしてください！

I'm sure I will.
もちろん！

ほっとひと息のコーヒーは、我々日本人が思っている以上に、大切な要素なのです！

Photo: adam121 / PIXTA（ピクスタ）

● 会食＆飲み会大好きな日本人

日本人は、会食や飲み会が大好きです。集まることに意義を感じ、大切な話し合いや無礼講の場、根回しの場になっているため、飲み物と食べ物は飾りにすぎないこともよくあります。

先日東北に行って、釜石のおいしい料理を7～8名で食べましたが、それぞれがそれぞれの料理に目を配り、満腹云々よりもお互いのことをもっとよく知るための話や、アルコールが入ってないと話しにくい内容を話したりしました。

外国人の私からしてみれば、いつでも話せるような内容でしたが、普段から相手のことを優先的に考えて気を配り、時々しか本音を言わない日本人からしてみれば、夜の飲み会はダイレクトなお話ができる大事な場だと思いなのかもしれません。例えば、職場で気になっていることへの疑問や、プロジェクトの進め方についての意見などを率直に言語化できる場として、日本の飲み会はコミュニケーションにおいて重要な役割を果たします。

●「とりあえずビール」は失礼?! でも…

先日、全く逆な経験がありました。数名の レベル2 のグループを集めて、日本のとある場所のためのプロモーションパーティーを開催したときのことです。企画者として、私は食べるものや参加者の食事制限、アルコールについて事前にヒアリングをしていました。数名がノンアルコールでしたし、数名がベジタリアンなどの食事制限がありました。

日本人ばかりだった東北での飲み会では、着席した皆さんに「生ビール以外の人?」と聞いていましたが、誰も手を上げません。中にはアルコールを得意としない人もいましたが、「とりあえずビール」で、同じタイミングで飲み物が揃いやすい状況を作り、みんなで乾杯!

これは、外国人の方々に聞くと「失礼!」「全員アルコールを飲むと決めつけるのはよくないよ」と思われるかもしれません。

ですが、私の経験から言いますと、もし「皆さん、飲み物は?」と聞いていたら、「何がある?」と絶対に聞かれます。そしてそこから「お水で大丈夫」「コカコーラ」「お茶」「ビール」「ウィスキー」など本当に収拾がつかない状態になります。ですから、揃って「乾杯」をしたいのならば、シャンパンやワインを卓上で開けて、みんなのグラスに直接的に注ぐようにするのがいいでしょう。

夜の宴会では、日本人は揃うように自分の好みを合わせます。対して、外国人は宴会ではそれぞれが楽しめるようにそれぞれが飲みたいものを頼んでいいと思っています。つまり、揃ってからの乾杯の優先順位が低いのです。説明す

ることで違いがわかれば、両方おもしろいですね！

● **Everybody happy! な答えとは…**

　ですが、外国人向けのホスピタリティー業やビジネスを長年やっていてわかったことは、こういったおもてなしの場で絶対に間違いがないのは「コーヒー」だということです。コーヒーを嫌う人は、ノンアルコール志向やビール嫌いな人よりはるかに少ないと思います。むしろコーヒーで乾杯する方がいるくらいです。ブラックコーヒーを出して、テーブルの真ん中にクリームや砂糖を置くだけでエブリバディーハッピー！だとわかりました。

　どの国からのどのレベルのビジターでもヘルシー志向が進んでおり、ビーガン／ベジタリアンの増加だけでなく、アルコール摂取量を大幅に減らしている人もいます！ また、日本に住んでいる レベル2 レベル3 の人などでも「日本の食べ物がヘルシー」だという評判に憧れ、アルコールフリーのヘルシー生活を望んでいるかもしれないですね。「とりあえずビールで！」と、みんなが飲み会で盛り上がる日本人文化からしてみれば、どこか面白くない！ 寂しい！ 変！ と叫びたくなるかもしれません。しかし、「交流の形態」が多様化する中で、「コーヒー」という選択肢を提示することで、みなさんがよりハッピーになって参加ができ、Win-Win ですね！

①②③ レベル別 おもてなしポイント！

レベル1 〔初級〕

客室にコーヒーがないと、星1つぶんランクダウン！

　先日、インバウンドコンサルティング視察の際に同行したイギリス人からの衝撃的な一言です！　宿泊先の部屋にコーヒーがなかったことに本人は大ショック！

　「これは一気にアウトです！　ウェブ上のレビューでは星1つぶんランクダウンになるね！」と本人が言うので、私は「でも、でも日本はお茶がおいしいよ！　文化体験・食体験だよおおおお！」と言いたくなりましたね。だって「チェックインして最初の緑茶の一杯、朝一のお茶一杯は健康的だし、落ち着くよね？」と思うのですが、レベル1 の初級の方々にとっては、そうじゃないようです。

　コーヒー必須！　コーヒーは（お目覚めだけでなく）、レベル1 の初級グループには超必須アイテムです。日本という外国にいる緊張を、少しばかりほぐして、勇気を与えてくれる特効薬です。日本人が海外で宿泊したときに、冷蔵庫を開けて「ヤクルト」が無料提供されていたらテンションが上がるのと同じ感覚ですね。

　インスタントでもOK！　コーヒーの提供は必須事項です。

レベル2 中級

缶コーヒーって凄い！

レベル1 同様、宿泊先の室内備品としてコーヒーは欠かせませんが、この方々にとって缶コーヒーは、とても楽しい食体験になります。ウェルカムドリンクや客室内のおもてなしとして、低いテーブルやお茶セットと一緒に缶コーヒーを提供するのはいかがでしょうか？　私の父は昔からコーヒー嫌いだったのに、来日してからは日本の缶コーヒーがやみつきになりました。日本のお茶もトライしたいけれど、コーヒーという飲み慣れている味が新形態の缶コーヒーとして提供されることは、中級グループにとってパーフェクトなジャパニーズ体験となります。

Photo: 清十郎 / PIXTA（ピクスタ）

117

日本茶も大好きだが、やっぱりコーヒーがあると嬉しい！

　日本通の レベル3 の人たちであっても、食後はコーヒーを飲む方が多く、みなさんが外国人と一緒に行くランチやディナーの場を選ぶ際には、コーヒーがあるかどうかをチェックすると無難です。

　そして、もしもあなたが温泉旅館のスタッフであるなら、事前予約の際、住所から「日本在住」と分かれば「ウェルカムドリンクは日本茶・ホットコーヒー・紅茶がございますが、どちらにされますか」と、希望を聞いてあげればたいへん喜ばれます。

　また、飲み物によって添えるお菓子を決めるのもいいですね。例えば日本茶だったら大福、コーヒーだったらカステラ、紅茶だったらビスケット…のように。このようなおもてなしをすることで、飲み物だけでなく、日本人が考えるお菓子との組み合わせも経験できます。結果として、コーヒーによく合うカステラなどの売店での売り上げに良い影響があるかもしれないですね。売場でコーヒーに相性のいい和菓子コーナーや煎餅コーナーを設けるのも、商品の購入意欲を高める効果があると思います。

　外国人はコーヒー好きです！　むしろなければ、困ります！　ぜひとも先手を打って、コーヒー前提で既存のおもてなしのレベルアップを図りましょう！「缶コーヒー1個サービス」や「ホットコーヒーをどうぞ」などのサインを店頭に出してみると、外国人客の憩いの場となり、口コミにつながりますよ！

　「コーヒー対策」という重要性にお目覚めですか？　皆様のビジネス繁盛に乾杯！

おもてなし接客英会話

100%英語での案内が必要な レベル1 のゲストを想定したダイアログです。
🧑=ゲスト、👩=あなたです。音声を聞いて、真似して言ってみましょう。ロープレにも取り組みましょう。

◎コーヒーを注文

 Do you serve coffee?
コーヒーありますか？

 Yes, we have blend coffee and American coffee.
はい、ブレンドとアメリカンがあります。

 Oh, really? What is the difference?
そうですか。違いは何ですか？

 Blend coffee is strong and American coffee is a bit weaker.
ブレンドは濃いめで、アメリカンはそれよりも少し薄いものになります。

 Oh, that's funny. I'll take American Coffee.
なるほど。面白いですね！　ではアメリカンをお願いします。

◎コーヒーの飲み方

 Would you like milk and sugar?
ミルクとお砂糖はいかがですか？

 No, black is fine. Thank you.
ブラックで大丈夫です。ありがとう。

◎コーヒーを買いたい

Where can I get some coffee.
コーヒーが欲しいんだけど、どこで買うことができますか？

Oh, we don't serve coffee here.
あ、こちらではコーヒーを提供していません。

What? Is there somewhere nearby where I can get some coffee?
そうなの？ では、近くで買えるお店はありますか？

Yes, they sell coffee at that convenience store. It is pretty good.
はい、コンビニで売っています。
しかも味はなかなかおいしいですよ。

☞オプションを与えていると付加価値アップ！

Okay, thank you! You saved the day.
ありがとう！ たいへん助かりました！

◎無料コーヒーのご案内

We serve free coffee in the lobby from 6 a.m. to 10 a.m.
ロビーにて毎朝、6時から10時の間、無料コーヒーを提供しています。

Oh, that is a wonderful service. Thank you for letting me know.
すごくいいサービスですね。教えてくれてありがとう！

My pleasure!
どういたしまして。

◎コーヒーのテイクアウト

You can use this paper cup to take some coffee with you from the buffet.
この紙コップを使って、コーヒーのテイクアウトが出来ますよ。

Really? That is a great service. Thank you!
本当に？ 素晴らしいサービスですね。ありがとう！

◎缶コーヒー

We only have can coffee available.
缶コーヒーしかありませんが。

Can coffee? What is that?
缶コーヒー？ それは何ですか？

Coffee in a can. It is pretty good. Various types include sweet, bitter and milk. It comes either cold or hot.
缶に入っているコーヒーです。なかなかおいしいですよ。甘い、無糖、ミルクなどいろいろなタイプあります。ホットとコールド、両方あります。

How do I buy it?
どのように買うでしょうか？

It is in a vending machine on the 4th floor.
4階にある自動販売機で売っていますよ。

A vending machine? Cool!
Thank you for the tip, I will definitely try it!
自動販売機でコーヒー？ かっこいい！
絶対にトライしたいです。教えてくれてありがとう！

TOPIC 12

Direction
道案内

駅の表示やアナウンスの多言語化はどんどん進んできていますね。ですが実は、まだまだ十分ではありません！ いざという時に慌てず対応できるようになりましょう！

Photo: Fast&Slow / PIXTA（ピクスタ）

　最近は、仕事でいろいろな場所へ飛び回っていますが 奈良駅、静岡駅、盛岡駅、宇都宮駅など、どこへ行っても外国人が普通にいますね。ひと昔前は珍しかったインターナショナル層も、なじみのあるものへと変わりつつある時代です。今まで顧客や提携先が日本人ばかりだった方も、ある日突然外国人が取引相手や顧客になったとしても、おかしくありません。

● 他国に比べてまわりにくい国、日本

英語表示してるのにどういうこと?

日本を訪れる方々の気持ちにたいへん興味を持っている私ですので、同じ電車などに乗っている外国人に「突撃ヒアリング」をします。

先日は、羽田空港から降りて荷物を受け取っているところに、30代と思われる欧米系外国人男性がいました。服装から判断すると、たいへん旅慣れている方のようだったので、彼が大きなリュックサックを取り上げた時に思わず「日本での旅行はどう?」と声をかけてみたくなったのです。

彼のような感じの レベル1 のビジターは、アドベンチャーが大好きで、日本の地方を訪れてカヤックやスキーなどのアクティビティを楽しんでいるのではないかと想像したので、情報収集のために「エンジョイしていますか?」と声をかけてみました。すると、「アジア地域での2ヵ月旅行を終えて、今ちょうど成田空港に向かおうとしているところなのです」という答え。それに続けて彼が言ったのは、「アジアをまわり、最後は日本でしたが、他の国に比べて日本はまわりにくいところですね。確かに、見るところがたくさんあってすごく美しい国なのですが、移動に苦労しましたよ」ということでした。

驚きました! 日本は最先端の交通網を誇っていますし、駅員さんが英語を勉強していることを知っています。迷っている方にすぐに声をかけてくれる親切な日本人もいっぱいいるという確信もあったのですが、彼には「難しい」という印象が残ったのだな、と思いました。彼の話を聞いて、山形方面の新幹線での出来事を思い出し、 レベル1 ビジターにとってのハードルを再確認した気がしました。

● こちらは新幹線ですか?

もう1つのビックリ体験

東京駅で山形方面行きの新幹線に乗車していたある日、郡山駅で観光客が慌てて新幹線に乗ってくるという場面に遭遇しました。

その人は、発車まで少しばかり時間があったので、車掌さんを見つけて大き

な声で「Is this the Shinkansen?（これは新幹線ですか？）」と、不安そう
な顔で聞いていました。

　すごく驚きましたね！　だって、新幹線のチケットを持っていて、新幹線専
用の入り口を通過して、新幹線専用のホームから乗車しているにもかかわらず、
今自分が乗っている電車が、新幹線なのかどうかがわからないというのです。

　交通網が発達していても、英語対応があっても、レベル1のビジターにとっ
て、日本での移動はまだまだわかりづらいものなのです。

　欧米系女性ではたいへん珍しい、日本の宅地建物取引士の資格を持っている
ような私ですら、グーグルマップを使っても目的地につかない毎日です。旅慣
れているバックパッカーやレベル3の日本通と思われる人にとっても、普通の
電車と新幹線の区別がつきにくいことをはじめ、まだまだわからないことが多
い状態なのです。

　2030年までに（レベル1の方がメインとなる）6,000万人の観光客を目指
している中、今日本の政府が注力しているのは、漢字圏ではない欧米豪の国々
です。つまり、バックパッカーのような方、普通列車と快速特急の区別がつか
ない方、道に迷っている日本在住者などが、どんどん増えていくことは間違い
ありません。皆さんが道案内を外国人に求められるのは時間の問題です。

　（ちょっと大きな話になりますが）日本の経済力維持のためにも、「日本は
まわりやすい！　わかりやすい！　いいシステムになっている！」という評判作
りに励みましょう！　道案内の実践にも1，2，3ツーリズムが役に立ちます！
ぜひ、一丸となって外国人の日本旅行のスムーズ化にはげみましょう！

①②③ レベル別 おもてなしポイント！

レベル1 初級

英語での説明が必須！

　日本語の「何かお探しでしょうか？」などでは通じないので、「Where are you trying to go?」と聞いてみましょう！ もし相手がマップを指差して「Here.」と言ってきたら、その人がすぐにわかる目印を用いて説明してみましょう。ただし、「ユニクロの横」とか「ヨドバシカメラの裏」とかそういう場所は、 レベル1 の方にはピンときません。ほとんどの レベル1 の方がわかるのは、次のような目印です。

- ◎ McDonalds
- ◎ Starbucks
- ◎ Tullys
- ◎ Family Mart
- ◎ Seven Eleven

　例えば、「Do you see McDonalds? It is next to that.」のように道案内してあげれば、すぐに見つかってとても喜ばれます。
　念のためですが、このレベルのビジターは日本語がわかりませんので、英語での説明が必須です！ 中学レベルの英語力で十分です！ 単語を駆使して頑張りましょう。

（在日5〜6年であれば）
日本語の目印がわかる！

　このレベルも「何かお探しでしょうか？」などの日本語は通じないので、シンプルな言葉で、「どこに行きたいですか？」と聞いてみましょう！マップを指して「ここに行きたい」と言われたら、レベル1 よりは色々な目印を使っても大丈夫です。

　ただこの場合も、横文字看板を使ってあげると無難です。マクドナルドやスターバックスなどの レベル1 がわかるお店に加えて、モスバーガー（MOS BURGER）やドトール（DOUTOR）やローソン（LAWSON）などの英語表記があるものは使えますが、「丸亀製麺」などのように、漢字ばかりの看板は厳しいですね。

　漢字を避けることが、レベル2 までのビジターに対する親切なアプローチとなります。

レベル3 上級

コテコテの日本語&日本版説明でもOK！

　このレベルは「何かお探しでしょうか？」で通じます！

　「こちらを探しています」と マップを指差して言われたら、どの店を目印に使っても大丈夫！ 全国チェーン店でなくても大丈夫！

　例えば「ちょっとまっすぐに進むと、ビックカメラが見えてくるので、その隣ですよ」のような感じで。

　そして、せっかくの触れ合いチャンスを無駄にしたくないですね。このレベルの方に喜ばれるトークとしては、「私もこの辺りで働いているけど、よく迷います。わかりにくいですよね」などのように、仲間意識のある言い方をすると、ハートがオープンとなります。もしかすると、相手からも「この辺りで働いているのですか？ 私は大手町の方ですが、もしよければ名刺交換をさせてください」なんて、ビジネスチャンスに発展することもあると思います。

　長期滞在の外国人のほとんどは、一生懸命ビジネスをやっており、ネットワークをどんどん広げています。ビジネスチャンスにつなげていけるかもしれないなんて、道案内とは大切な行為ですね！ Yes You Can!

レベル1 のゲストを想定したダイアログです。□=ゲスト、□=あなたです。
音声を聞いて、真似して言ってみましょう。ロープレにも取り組みましょう。
Let's do this!

◎道案内

I'm trying to get here.
Am I going the right direction?
ここに行こうと思っているが、この方向であっていますか？

Yes, it is straight up ahead on the right side.
はい、まっすぐいくと右側にあります。

Oh really, about how far?
そうですか。どのくらいの距離ですか？

Do you see the Family Mart sign there?
ファミリーマートの看板は見えますか？

Yes.
はい

It is right next to that.
そこのすぐ横にあります。

Thank you so much.
どうもありがとう。

◎駅はどこ？⇒電車案内

Where is the station?
駅はどこですか？

Which station do you need?
どの駅をお探しですか？

I don't know. I think it is the gold line.
ちょっとわかりません。ゴールドラインかな？

Oh, where are you trying to go?
なるほど、どこに行こうとしていますか？

Shibuya?
シブヤ？

Ah yes, the Ginza Line. Do you see that sign that says Ginza Line?
あ、そうですね、銀座線になります。銀座線と書いてあるサインは見えますか？

Yes.
はい

That is it. Get on from platform number 2.
そちらになります。2番線から乗ってください。

Oh, thank you so much!
どうもありがとうございます！

◎バス停はどこ？

Where is the bus stop?
バス停はどこですか？

Where are you trying to go?
目的地はどちらになりますか？

To Meguro station.
目黒駅まで行きたいです。

Oh, okay. The bus stop is just down there. Do you see the sign for Tully's Coffee?
わかりました。バス停はあちらの方にあります。タリーズの看板は見えますか？

Yes.
はい

It is right in front of that. Make sure to catch the bus going towards Meguro. If you don't know, ask the driver slowly. The driver will let you know where to get off.
お店の前にあります。バスは必ず目黒方面に乗ってください。わからなかったら、運転手さんにゆっくりと行き先を伝えてください。降りるときに運転手さんは声をかけてくれます。

Thank you so much! You saved the day!
どうもありがとうございます！ たいへん助かりました。

TOPIC 13

Sake
お酒

大人の旅行者にとって、おいしいお酒も大きな楽しみの一つ。日本ならではの多種多様なお酒の世界を、じっくり深～く味わっていただきましょう。

Photo: hafuphoto / PIXTA（ピクスタ）

● 日本酒はいいお土産！

米国では入手が困難！

　コンサルティング企業で海外勤務する息子は、日本に帰ってくる際には、必ずお酒を買って戻っていきます。私も日本酒はいいお土産だと思うので、弟の結婚式で米国に戻った時に、数本の日本酒を持って帰りました。ワシントン州のシアトルでの結婚式だったので、同じ州に住む友人にも宅配便で送ろうとしたところ、「液体ものの郵送はダメです」とアメリカの郵便局で言われてしまいました（日本ではあまり考えられませんね！）。結局弟の家に預けておいて、

友達に取りに来てもらわないといけませんでした。ちなみに、米国で購入可能な日本酒は、種類も少ないですし、外で飲もうにも、**すごく通な**バーに行かなければ、置いていないところがほとんどです。

　今では様々な国で作られたワインが簡単に手に入る日本ですが、少し前までは、フランス産のワインぐらいしか手に入らない状況でした。米国で日本酒のおかれている状況は、それに似ています。

● タイプで、地域で…
　日本のお酒は多種多様

　日本のお酒は**比較的ヘルシー**であると評判ですし、その味わいを楽しむ外国人が増えていることも事実です。また、酒蔵を営む方も、「酒蔵**ツアー**」を企画したり、海外の方々へのアピールを本格的に行っています。

　またあるとき、日本のお酒が好きな外国人の友達に「どんなお酒が好きですか？」と聞いたところ、「濁っている方だよ」と答えられたことがありました。その方は、日本酒の種類が透明なものと濁っているものの**2種類**しかないと思っていたようです。

　多くの外国人、特に レベル1 のビジターは、お酒のフレッシュマンとなります。日本のお酒の豊富な種類と地域ごとの**タイプ**を、もっとエンジョイしてもらいたいなと思います。焼酎、日本酒、どぶろく、泡盛などといった種類だけでなく、作られている**エリア**によっても、それぞれ味が異なります。それぞれ飲むことによって日本的な文化体験にもなります。

　仕事でどこへ行っても、「この地域の日本酒が**一番美味しいよ**」と地元のみなさんは自慢げにおっしゃいます。一方、地元の美味しいお酒は地元でほとんど消費されているため、**他の地域には**あまり**出回らない**という話も聞いています。

　このように都会まで届くものが少ないと、さらなる「**地方に行く理由**」が外国人ビジターに発生します。

ビジターの中にはもちろん、アルコールを苦手とする方もいらっしゃいます。その場合私はいつも（自分が大好物でもある）甘酒をおすすめしています。甘酒について表現した「美の点滴」というワードがすごく刺さり、私は毎朝、冷蔵庫の甘酒を飲むため、台所に「通院」しております。

● 日本のお酒人気爆発に備えて…

日本のナパバレーを作ろう！

ワインに負けないほどの日本のお酒の人気爆発は、時間の問題だと思います。

日本のビールと日本のウィスキーが驚くほどの人気を見せているのと同様に、これからは外国人ビジターも、お酒の奥の深さをもっと体験したい！と思うようになるでしょう。

ワイナリーを訪問するのと同じように、酒蔵を訪ねたくなり、その土地の地酒を飲むために、地方へ出かけるきっかけともなります。ツアーの一部として酒蔵を訪れる外国人観光客はすでにいると思いますが、今後FIT（= Foreign Independent Tour：個人で海外旅行に行くこと）の方やリピーターの方が増加していくことは、間違いありません。

さらに、人混みを避けたいと思っている外国人ビジターも増えているため、地方への導線は「酒ロード」になるかもしれないですね！

米国では、サンフランシスコ市からかなり離れているナパバレーに行く理由が「ワイン」であるのと同じく、日本でも地方を訪れる理由が「お酒」になるといいですね！　日本のお酒についてはまだ初心者かもしれませんが、1，2，3ツーリズムの考え方を参考に、日本のお酒ワールドへの導線を確保したいところ。一緒に考えましょう！　「お酒」への外国人の関心は、確実に高まっています。相手のレベルを考慮し、お酒体験をしっかりとエンジョイしてもらいましょう！

① ② ③ レベル別
おもてなしポイント！

レベル1 （初級）

「サキ ？」
「What is it?」

皆様も聞いたことありませんか？「I like Japanese Saki!」

こう言うノン・ジャパニーズは レベル1 のビジターです。ハワイ州で有名な「リケリケ（＝ハワイアンの正しい発音）」は、ハイウェイ上の看板ですと表示が「Likelike Highway」となっているため、ハワイが初めてのビジター（＝ レベル1 ）は、「ライクライク・ハイウェイ」と言いがちです。これと同様に、 レベル1 のビジターは、「お酒」を「サケ」ではなく「サキ」と発音するケースが多いのです。

さて、この方たちに日本酒を飲んでもらうとします。

一口飲んで、「おいしいでしょう？」ときいても、比較対象がわからないため、半自動的に「おいしい」と返答するにとどまり、少々ぼんやりとした体験となってしまうかもしれません。

そこで、この層にぜひおすすめしたいのが「テイスティング体験」なのです！ 最近、少量で5種類ぐらいのお酒をセットで出してくれる居酒屋がありますが、これは レベル1 にとっては凄くわかりやすい！ 飲み比べができて、とても楽しくなります。

また、これも意外と見落としがちですが、 レベル1 のビジターは、「焼酎」と「日本酒」の違いが全くわかりません。

ですので、「Let me try Sake.（お酒を飲ませてください）」とリクエス

トされたときに、「Nihonshu? Shochu? Which one?（日本酒？
焼酎？ どちらですか？）」と質問を返してしまうと、相手は困るでしょう。

　その場合は、「Dry or Sweet?（辛口？ 甘口？）」と言って、好みを聞
いてみると、スムーズなお酒体験へと導くことができますよ。

レベル2 中級

日本酒と焼酎はわかるが、地酒などにはまだ親しみがない

　このレベルは、日本のお酒の中に「日本酒」と「焼酎」があることは
知っています。ですが、地酒などにはまだ親しみがなく、ほとんどは同
じお酒を飲んでいるため、それぞれの銘柄ごとの味わいの違いについて、
それほど気にしていないことが多いです。たとえるなら、ワインに詳し
くない人がフランスに行って、「レッド」や「ホワイト」だけで 注文す
るような感じですね（私のこと？）。

　このグループには、あなたが好きな銘柄のお酒をおすすめしてみてく
ださい。好きな理由とか、どこでこの酒に出会ったのかというストーリー
をシェアすると場が盛り上がります。熱燗やロック、レモンサワーや
チューハイなど、色々な飲み方もご案内すれば、さらに一緒に楽しめま
す。

　But be careful!　最近、日本酒をワイングラスに入れて提供して
いるお店が多くみられます。このような場合、 レベル2 に対しては要注
意！ ワイン感覚で飲んで、ベロベロになる可能性が大きいです！（お酒
と同量のお水を、チェイサーとしておすすめするのがいいようです）。

レベル3 上級

工程、酒蔵、歴史などなどに興味津々！

　このレベルのビジターは、美味しい地酒とフードをペアリングしてくれるお店に連れていくと、とーーーーっても喜ばれます。

　また、お酒をおすすめするときは、どのメニューが合うか、どんな飲み方がお勧めなのかなどについても提案すると、さらに盛り上がります。

　酒蔵や銘柄のストーリーだけでなく、例えば福島県のお酒だったら、そのお酒が有名な理由や、「いも焼酎は、おつまみなどでもよくある"さつまあげ"の"薩摩"＝鹿児島だよ」という豆知識なども披露すると、興味津々になります！　ワインが好きな人たちが、ボルドーとナパの葡萄の違いに興味があるのと同様に、 レベル3 の酒好きビジターは、それぞれのお酒のヒストリーと特徴を聞いて、お酒の知識を増やしたいと思っています。

　But! このグループは不思議なことに、「甘酒」をあまり知らないのです。

　アルコールを飲まない方にはとくに、ぜひとも季節に合わせての甘酒を飲んでもらいましょう！　間違いなく感動されます。

Photo: Rhetorica / PIXTA（ピクスタ）

レベル1 のゲストを想定したダイアログです。□＝ゲスト、■＝あなたです。
音声を聞いて、真似して言ってみましょう。ロープレにも取り組みましょう。
Let's do this!

◎お酒を注文された

I would like to order some Saki.
What do you recommend?
サキを注文したいのですが。おすすめは？

We have many types of Sake. Have
you ever tried it?
お酒の種類がたくさんあります。飲んだことはありますか？

Yes, I tried it once. I really like it.
はい、1回だけですけど、飲んだことがあります。

◎お客様の好みをきく

Okay, may I ask a bit about your
preference? Would you like sweet or dry?
いいですね。お好みについて少し聞いてもいいですか？
お好みは甘口ですか？ 辛口ですか？

Dry.
辛口がいいです。

◎熱燗をご案内

Okay we have a really good type that is perfect heated up. The drinking style is called Atsukan.
いいですね、温めて召し上がるのに最適なお酒があります。「熱かん」というスタイルです。

In the little cup?
小さいカップで？

Yes, a little bottle and a little cup. The little cup is called "ochoko".
そうです。小さい瓶と小さいカップで。小さいカップは「お猪口」と言います。

What a cute name! Yes, I would like to try that.
可愛い名前ですね！ はい、それをトライします。

◎地酒をご案内

It is a local Sake that you can't get in the city.
ローカルで作っているお酒で、都会ではなかなか手に入らないものです。

Oh, that is great. Can I buy some to take home.
いいですね！ 持ち帰り用はここで買えますか？

Sure, we sell it at the entrance.
もちろん！ 入り口で売っています。

Fantastic, I look forward to trying it!
素晴らしい！ とても楽しみです。

I'll bring it right away.
すぐにお持ちしますね。

TOPIC 14

CD 28

Customer's Voice
お客様の声

日本を訪れてくださった外国からのお客様の声を集めることも、おもてなしの質を上げるためには欠かせません。ここでも1, 2, 3の法則を生かして的確に質問していきましょう。

Photo: Rawpixel / PIXTA（ピクスタ）

● なかなか戻ってこないアンケート

配ればOK！
ではありません

　どんな業種でも、お客様からご感想やご意見をいただくと、すごく参考になるのは確かです。

　私自身も、コンサルティング業務やサービスアパートメントの営業活動をしていた時に、何度もアンケートに挑戦したことがあります。

　サービスアパートメントでは、チェックアウトが決まっているゲストの最後の清掃時に、紙のアンケートをお部屋に入れて、書き込んでもらうという試み

でした。コンサルティングの時は、サービスを受けた顧客に帰る前のお時間をもらって、同じく書面でアンケートに答えてもらうように頑張りました。

　相手の負担を減らし、シンプルに答えてもらえるように、20程度の質問事項に対し、それぞれの満足度を測るために、「たいへん満足しました」から「満足しませんでした」までの5択形式をとりしました。そしてアンケートの最後には、フリーコメントを記入できるような構成にしました。

　しかし、結果としてはあまり参考となるような情報をもらうことはできませんでした。最後のフリーコメントに記入する方も稀で、その内容についても、実際に運営を変えるための稟議書や予算獲得のための説得材料となるには至らない内容でした。また、個人情報（メールアドレス）の記入をお願いしても、スパムが怖いのか未記入のペーパーがほとんどでした。

● お客様の声を集めるコツ

実りあるヒアリングをしよう！

　私の会社では、企業様からの外国人へのサーベイ業務を請け負っています。2018年より、50問程度のサーベイを様々な分野で実施し、約5,000個の質疑応答を分析してきました。

　実は、お客様のご意見をお伺いする際にもコツがあるのです！

　次のページからの例のように、レベルに合わせての問いかけをすると、日常的なサービス内容を見つめ直すことができますし、それぞれのソーシャルメディアプラットフォームでの書き込みと合わせて業務改善案の理由付けにすることができます。

　ぜひとも、答えにヒントが出てくるような問いかけのコツをマスターし、実りあるヒアリングに挑戦していきましょう！

　どんな些細なことでも真剣にヒントにすることが、勝敗を分けるといっても過言ではありません。

① ② ③ レベル別
おもてなしポイント！

レベル1 初級

日本の文化的背景や知識がまだ一切ありません！

このグループに対しては、大きいな問いかけをしましょう。

Q1 What do you find refreshing about Japan?
（日本のどういう点を新鮮に感じますか？）

　このように、日本についての大雑把な印象を聞いてみること。相手からの返答の中に、自分が提供するサービスの内容に当てはまるコンテンツがあれば、今後の発信内容に反映・強調することができる。

Q2 What type of Japanese food have you heard of?
（和食の中で聞いたことがある食べ物は何ですか？）

　この類の問いかけを使うと、その食べ物をメニュー上で目立たせたり、ガイドの選択肢の1つに加えたりすることができる。おもてなしのレベルが上がる！

Q3 Where do you like to go on vacation?
（バケーションはどちらに行くのがお好きでしょうか？）

　海？　山？　どんなところ？と聞いておくと、ご案内当日のコースに組み込めますし、観光業に就いている人は、何をアピールすれば良いかが見えてくる。

　Q1 に対して、例えば「日本のインフラを新鮮に感じる」という返事が来たら、インフラの利便性を強調するのが効果的だというヒントを得ることができます。Q2 に「天ぷら」と答えてくれたら、昼食にご案内したり、また、飲食店の場合はメニューに天ぷらがあれば、大きくアピールしたりできますね。Q3 に「海に行くのが好きです」という返事が返っ

てきたら、移動の電車の車窓からの海の景色も含めるようにして、ご案内＆アピールすればいいですね。つまり、大きな質問をすることで、詳細へ絞り込む際のヒントを得るのです。

レベル2 中級

まだまだ日本についての目線はフレッシュ！

このレベルのビジターは、日本に対してまだフレッシュな目線を持っていますが、レベル1 より一歩突っ込んだ問いかけができます！

Q1 What type of Japanese Sake do you like?
（日本酒の中で、どの種類が好みでしょうか？）

Q2 Have you tried Shochu?
（焼酎は試したことがありますか？）

Q3 What is the longest distance you have travelled in Japan?（日本の中で一番遠くまで旅行した場所はどこですか？）

レベル1 よりもう少し絞り込んだ質問になっているのがわかりますよね。そのジャンルや種類などの知識レベルを測ることができます。

答えに具体的なブランド名が出てきたり、少し"通"な焼酎を知っていたりする…など、中級レベルの外国人の間の知識レベルを検証できます。

観光に関しては、どのくらい"探検"しているか調査すると、どのエリアが人気か、どれくらいの時間と手間をかけて何を求めているかも見えてきます。これが、SNSなどの情報発信には絶大なヒントとなります！

レベル3 **上級**

どんな細かいことでも聞いてOK！

ここは、どんな細かいことでも聞けるグループです。

Q1 Why do you think Japanese mayonnaise is becoming popular overseas？
（日本のマヨネーズが海外で人気になっているのは、どうしてだと思いますか？）

Q2 What is the most difficult food to eat in Japan for first timers？
（初来日の人にとって、最も食べにくい和食はなんだと思いますか？）

Q3 How do you use Karashi Mentaiko in your cooking?
（あなたは料理に辛子明太子をどのように使っていますか？）

　このように、具体的なコメントや推測、感想をピンポイントで聞いても大丈夫！「マヨネーズは海外製品には無い甘味があって、すごく非日常な体験なのよ」とか、「白子の説明を聞いてしまうと、まず食べないね」とか、「辛子明太子は必ずサラダに入れていますよ」などなど、具体的な推測や行動が経験者から聞けるので、レベル1 の人たちへのアピール内容や情報発信への大きなヒントとなります。

　いろいろな企業が行っているアンケートで、Yes/No 回答ばかりのものをよく目にしますが、もったいない！ 聞く相手を1，2，3で分けて考えると、アンケートでグッと濃い回答を得ることができます。

レベル1 のゲストを想定し、アンケート調査をやってみましょう。
■=ゲスト、■=あなたです。音声を聞いて、真似して言ってみましょう。ロールプレにも取り組みましょう。Let's do this!

◎アンケートを頼む

Would you mind filling out this survey for us?
このアンケートのご記入をお願いできますか？

 A survey? How long will it take?
アンケート？ どのくらいかかるかな？

It is multiple choice so no more than 10 minutes. We have it right here.
選択形式になっているので10分以上はかからないと思います。こちらにあります。

 I guess so.
そうですね。

Thank you so much. Here it is.
どうもありがとうございます。こちらになります。

◎お茶をすすめる

Would you like some tea while you fill it out?
ご記入の間、お茶をお飲みになりますか？

 Oh, that would be lovely, thank you!
いいですね。お願いいたします。

◎アンケートを受け取る

Here it is.
終わりました。

We very much appreciate this.
We will take your advice seriously.
ご記入いただき、本当にありがとう！
慎重に検討させていただきます。

I'm happy to help.
お役に立てて嬉しいです。

Looking forward to serving
you again some time.
またのお越しをお待ちしております。

Yes, I am going to tell all my friends
to come here.
そうですね。友達みんなにここをシェアするつもりです。

Thank you!
どうもありがとう！

145

TOPIC 15

Tea Time & Snacks
お茶の時間と軽食

> カフェでお茶を飲み、おやつを食べることも旅行中のちょっとした楽しみです。大手のカフェも、個人経営のお店も、1, 2, 3ツーリズム法則でしっかりアピールできます！

Photo: barman / PIXTA（ピクスタ）

● 大手カフェ VS ワゴンカフェ⁉

果たして生き残れるのか？

　仕事の打ち合わせのため、私は鎌倉市の江ノ島駅（江ノ電）から江の島まで歩くことが、ほぼ毎週のスケジュールとなっています。

　江ノ島駅の改札を出て海方面に歩き出すと、**タリーズというカフェが左側に**あり、右側には**ワゴン車を使ったコーヒースタンド**があります。コーヒー、飲み物、サンドイッチなどといった、カフェによくあるものを販売しているのが、両店の**共通点**です。

　私は以前からワゴンカフェの**手作り感**が好きで、毎週のコーヒーやサンドイッチはこちらで買っています。タリーズができたのはわりと最近のことですので、ワゴン販売の経営者は**お客様が減る**のではないかと不安な気持ちになったのではないかと思います。世界的に有名な大手カフェが目の前にできて、そのワゴン販売が生き残れるか、正直私も心配でした。

　しかし、タリーズができてから１年くらい経ちますが、いつ通ってもそのワゴンのカフェは**引き続き営業中！** 元気にやっています。

● ワゴンカフェの戦略

大手にない付加価値で勝負！

　江ノ島駅を通る観光客は、 レベル1 ， レベル2 ， レベル3 の外国人が非常に多いです。というのも、『**スラムダンク**』という漫画の影響で、特に台湾のビジターにとっての人気スポットとなっているのです。

　このような状況下にある、前述のワゴン販売の経営者がとっている戦略は明確です。（本書でも繰り返し述べていますが）**自前の付加価値**を考え、その付加価値をありのままで**言語化**しているのです。

　タリーズには「冷房がある」とか「スタッフが英語を話せる」とか「広々としたソファシートがある」など数々の強みがあり、こればかり考えてしまうと精神的に負けてしまいますが、このワゴン販売の経営者は、状況をマイナスに捉えているようには見えません。

　レトロ風のワゴンのバックドアを大きく開いて、ワゴンにたくさんの美味しそうな手作りサンドイッチとパンを並べています。ワゴンのサイドドアをカウンターにし、飲み物やコーヒーはそこから手渡しすることで、お客様と触れ合います。ワゴンの脇にはお客様が自由に使えるパラソル付きピクニックテーブルがあり、目の前を走る江ノ電がとてもよく見えます。つまり、**お向かいの大手チェーン店と全く異なる選択肢**を見事に演出しているのです。

　さらに、サンドイッチやパンのディスプレイには、英語で「**Handmade**」と書いてあり、スムージーや美味しそうなヘルシードリンクが季節ごとに変わ

り、それもわかりやすく表示されています。また、**一目瞭然でわかる＆お客様の目を楽しませる可愛い手書きの絵**を飾っています。

　バックドアでパンを眺めているお客様の姿を中からすぐに捉えて、優しく、笑顔で「こんにちは」と声をかけてくれるマスターも**人気者**です。湘南エリアにふさわしいサーファーチックないでたちで、**スマイルたっぷりのおもてなし**でむかえてくれます。地元の方と仲良く触れ合えていることが、どんなお客様にも伝わるので、「**ローカルな体験ができている**」という実感を、ビジターたちは感じられるのです。

● 2つのカフェ、どっちが必要？

慣れた環境か
地元体験か

　このワゴン販売に対して、タリーズはタリーズで当然違った側面があります。

　コーヒーの種類と軽食は豊富ですし、スタッフはユニフォーム姿で**スムーズな英語で対応**してくれます。笑顔で「Hello」と歓迎され、冷房の効いた広々とした店内でゆっくりできます。コンセント付きのテーブルやカウンターがたくさん備えられているため、**充電やメールチェックもOK！**

　さて、観光客から見て、どちらの方に興味を持つでしょう？

　はい！ そうです！ 両方が必要です！

　慣れている環境で飲食がしたい方は、タリーズを必要としますし、地元の方とのふれあいや、**手作り感やビーチの雰囲気**を求めるならワゴン販売に惹かれるでしょう。タリーズという看板は観光客にとって**強いブランド**となっているため、特にそのほかの説明をする必要はないですね。スターバックスやマクドナルドなどと同じです。オンラインマップでの存在も強く、**客足を導き**ます。

　ブランド力が乏しいワゴン販売は、**言語化の努力**が必要になってきます。でも、難しく考える必要はありません。そのままの、**ありのままの付加価値**を、**伝わるように表示する**だけでいいのです。

　このカフェの場合は、提供される商品とその特長である「Home-made bread and sandwiches」の表示が、あたりを見回している潜在顧客の目

に飛び込んできます。ビジターさんが近付いて来たら、日本語で「こんにちは！」と元気に挨拶をすると、ナイスなアピールになります。

さらに商品につけるカード（札）には「100 yen」と金額が英語で表示されていたり、主な材料が、「Blueberry」や「Walnuts」や「Egg sandwich」のように、英語で書いてあればいいですね。また、お肉、魚が一切入ってない商品については、カードのどこかに「Vegetarian」と表示すると、よりわかりやすくなりますね。もしクレジットカードが使えないのであれば、「cash only please」の表示を、商品の横あたりにおいておくと親切です。

つまり受け入れのシステムはありのままの内容に、ちょっとした英語表示をつけるだけでいいのです。

ますます増えていく外国人の観光客と居住者にとっては、慣れ親しんだ環境と、ローカルの「ここだけ」のようなコンテンツ、両方必要です。もしあなたが個人でカフェなどの飲食業についているのなら、どうか弱気にならず、自分たちの付加価値をどう伝えるかを是非とも考えてみてください。この作戦にも１，２，３ツーリズム法則が役に立ちます。個人商店の皆様！　ガンバレ！

街角の老舗店や屋台で買い物をして食べ歩きをしたり、椅子やテーブルでちょっとしたスナックを食べたりするのは、新しい旅先での楽しみの１つですね。

その街のローカルフードを食べ、そのエリアの雰囲気を味わうことは、万国共通の楽しい過ごし方です。ベルギーの方もインドの方もロシアの方も、どんな観光客でも経験がある、馴染みやすい光景ですね。日本でも先ほどのワゴン販売のカフェのような、ちょっとした日本的な軽食を食べてみたいと思っている観光客は非常に多いです！　ぜひご案内＆おもてなししましょう！

それでは次のページから、たい焼き、たこ焼き、コロッケ、お団子、ソフトクリームなどといった、街の通りにあるちょっとした食べ物の中から「ミニたい焼き」を例にとって、１，２，３ツーリズム法則でのおもてなしを考えてみましょう。

①②③ レベル別 おもてなしポイント！

レベル1 初級

「自国コンテンツ＋日本的新しさ」で、試す勇気が出る！

　鎌倉駅前に「ミニたい焼き」のブース販売のお店があります。

　訪日外国人が必ず通る、駅を出てすぐという絶好の立地で、焼きたての香りが届きやすく、「何だろうこの美味しそうな匂い？」と思わせる。場所と香りで潜在顧客の食欲を刺激するとてもいいコンテンツを持っています。

　しかし、顧客のレベルによって、ミニたい焼きに対するリアクションに大きな違いが生じているのです。

　来日間もない レベル1 のアメリカ人の友人が、鎌倉駅前のミニたい焼きを「フィッシュ・ペイストリー」と表現していました。

　「たいやき」とひらがなで書いてある看板が読めないため、形と味から自己流で "Fish Pastry" と名付けたのです。このように、海外からの レベル1 のビジターさんたちは、自国にもあるコンテンツをベースに、その延長線上にある新しい日本のコンテンツを求めることが多いのです。例えば「自分の国にスキー文化があるので、日本でのスキーを体験し、異なる点を楽しめる」とか、「ピザが好きなので、日本で食べられるピザを体験したい」などと同じようなことです。

　「新しい体験」の8割ほどを自国の比較可能な要素が占めていると、残り2割の完全に新しい要素を体験する勇気が湧いてきます。

　私の友人の例で言うと、「ペイストリー」はどの国にもあるので、鎌倉にある「日本的なペイストリー」に挑戦したくなるのです。その形や中身や日本的な環境で食べるという点だけが異なっているので、チャレンジのレベルとしてはちょうどいいのです。

　私は「ミニたい焼き」を知っていたのですが、この友人が「鎌倉の"Fish Pastry"が大好物になった！ フィッシュ・ペイストリーはソーグッドだよ」と、積極的にアピールしてくれても、最初は何の話なのか、全然ピンときませんでした。

　「Fish Pastry」＝「ミニたい焼き」だとようやくわかったときに、本人の「フィッシュ・ペイストリー」に対する視点を聞いてみました。それによると、中から少し透けて見える色で「チョコ味」を見極めて、指さしとスマイルで一生懸命に買い求めているようでした。

　つまり、匂いと色で「おいしい」と判断し、チョコが見えたら「これ！」という買い物です。本来の商品名や、スタンダードが「あんこ味」であることなど、全く知らないままでの購入でした。

　「たい焼きは、日本の祭りに定番のお菓子である」などといった文化的な背景知識はありませんし、あんこ味を押し付ける必要もありません。

　ですが、時にはビジターさんが慣れている「チョコ味」のほかにもいろいろな味があることをご案内してあげたり、もしあなたが販売店で働いているのなら、テイスティング（試食）を行ってもいいのかもしれないですね。慣れている味以外にも様々な味があることに気づかせてあげると、新しい食体験に繋がりますね。

　ちなみに「たいやき」を英語で表示するなら、［たい焼き］Taiyaki : A yummy fish-shaped sweet from Japan です！

リピーターとして新しい食体験を楽しみたい！

来日リピーターや居住5年未満の レベル2 の方々は、「たい焼き」がローカルジャパニーズフードであり、日本の食文化の一つであることを知っています。

このレベルのであれば、たい焼きの中身には複数の種類があることも知っていて、新しい体験として色々なタイプにチャレンジしてくれます。「生地に抹茶が混ざっているタイプ」や「餡子とか餅が入っているもの」など、そのバラエティを楽しみます。

こういうビジターさんには、数種類（5種類ぐらい）が入っているバラエティーパックが効果的です。なぜなら、 レベル2 の方は日本に住んでいることがほとんどなので、リピーターになりやすいのです。毎回違うタイプのものを注文してくれる、異なった食体験に挑戦することを好みます。

あとは、新しい味が販売される時や日本人のお客様の間での人気ランキングを明確にして、新しい食体験への意欲を刺激してあげるのもおすすめです。

例えば、「あたらしい あじ！ あずき と もちがはいっています。おいしいよ！ Yummy!」や「トップ セラー！」のように表示するのです。

レベル3 上級

「学び」のチャンス！

　このレベルの層は「たい焼き」の購入を考えるとき、その見た目、香り、味など、総合的に日本の食文化を知る「学びのチャンス」と考えます。例えば、「このミニたい焼きのルーツは？」「最近流行っている味はどれ？」「一番オーソドックスなバージョンを教えてください」などなど。

　また、たい焼きの「たい」は「めでたい」の「たい」だと知ると勉強になり、日本の豆知識が増えることでハッピーになります。「出産祝いにおすすめ」などと表示すると、日本のお土産文化を知っている レベル3 の方には、プレゼントの候補が増えるため、とても助かります。

　購入するための列に並んでいると、いろいろなことを考えるので、情報が目に入りやすいよう、英語での情報提供（事前に調べてガイドの資料を作ったり、店舗の壁に貼ったりするなど）をおすすめします。味も体験も大事ですが、多くの レベル3 の方は、日本人や日本文化との繋がりに最も興味を持っているのです。知識が深まるための工夫をするほど消費が進み、広告塔としての役割をより果たしてくれるようになります。お互い"おいしい"思いをしましょう！

> **レベル3への表示例：**
> たい焼きの「たい」は、「おめでたい（Medetai）」の「たい」ですよ！あかちゃんがうまれると おさかなのたい をたべることも あり 鯛（＝たい、Red Snapper）は とても <u>縁起のいい</u>（＝ good fortune）であると 考えられています。
> ぜひこのあまい しあわせをエンジョイして ちょっとした おいわいムードを たのしんでください！

レベル1 のゲストとの、支払い方法や ATM についてのダイアログを練習しましょう！

👤=ゲスト、👩=あなたです。音声を聞いて、真似して言ってみましょう。ロープレにも取り組みましょう。Let's do this!

◎クレジットカード

Can we use a credit card here?
クレジットカードは使えますか？

Oh, I am so sorry, we only take cash.
申し訳ありません、現金のみになっています。

Really? That's strange.
本当ですか？ めずらしいですね。

◎ATM

Is there anywhere nearby where I can get cash?
近くにキャッシュを下ろすATMはありますか？

Do you have a foreign country issued card?
海外発行のカードですか？

Yes.
はい。

Okay, so I think you will need either the post office or a seven eleven. There is a post office ATM up the street and a seven eleven about 10 minutes walk from here.

なるほど、そうしたら、郵便局やセブンイレブンでの引き出しになると思います。便局のATMは真っ直ぐに歩いて行ったところに、セブンイレブンは徒歩10分くらいのところにあります。

Okay, I think I will go to the post office.

なるほど。では、郵便局に行きます。

◎ごめんなさい＆ありがとう

Sorry about not being able to purchase anything here.

ここで何も買えずに、申し訳ありません。

No problem. Sorry for not having credit card use available.

とんでもございません！ クレジットカードをご利用いただけず、申し訳ございません。

I appreciate your help with the ATM.

ATMを教えていただき助かりました。

Have a nice day.

いい一日になりますように。

Thank you!

どうもありがとう！

CD 32

Tips to Attract Passing Visitors to Your Store
通りがかりの外国人をお店へ呼び込むコツ

レベル1 ビジターの目をひきつけることは、"将来の顧客"獲得につながります！

Photo: S & Y / PIXTA（ピクスタ）

● "非日常のモザイク" から一歩抜け出そう

文字だと認識できません！

　大前提として、 レベル1 の訪日外国人観光客にとって、日本の全ては非日常的な空間を提供してくれるワンダーランドです。看板やネオンが多い都会の景色から山々を背景に田畑が広がる田舎の風景まで、じつにさまざまな驚きがあります。また、Family Mart や Domino Pizza、Starbucks などの英語看板がたまに目に入るものの、ほとんどの看板やサインは読めないものばかりで、そういったことから、異国にいるということを実感できるのです。外国人ビジ

ターたちは、こういった**異国情緒**を求めて来日しているのです。

ただ、確かに求めている"非日常"は手に入りますが、街並みの全てが"**見慣れないあれこれがミックスされた状態**"となっているため内容が全く見当もつきません。日本人や レベル3 のビジターでしたら、「蕎麦」や「鮨」などの漢字も読めて、お店の中身の見当がつきますし、赤いのれんなら中華料理店の可能性が高いことを知っています。また、表に窓があり、そこに白い粉と麺棒が置いてあれば、手打ちそばやうどんのお店だと推察できます。

しかし、特に レベル1 のビジターは、**日本に住んでいない方がほとんどなため**、知識のベースとなる「基礎」を共有できていません。ですので、**それがなんの店なのか、だれにでもわかるようにしておきたい**ですね。

例えば、美容室。店名が横文字表記になっているお店はたくさんありますね。ですが、「Kingdom」や「Ash」などの店名のみが表示されている状態ですと、レベル1 にとっては**非常にわかりづらく**なります。beauty salon（美容院）という業種を併記すると、何のお店なのかがはっきりわかりますね。

● モントリオールで「レベル1」体験！

フランス語ができず、緊張！

娘の大学の卒業式でカナダのモントリオールという街に行ったときのことです（モントリオールを訪れるのはその時が2回目で、10日ほどの滞在でした）。

モントリオールは世界中の人々がいて、フランス語と英語の二言語使用が前提となっている、**バイリンガルな街**です。観光業で成り立っているお店や施設が多く、また、マギル大学の学生などをはじめとする、レベル2 の一時的な居住者もたいへん多いところです。そんな点から、日本で外国人の顧客誘致のコンサルをやっている身として、モントリオールで繰り広げられている「おもてなし作戦」は大いに参考になりました。

まず、私自身は、モントリオールという街を訪れる レベル1 のビジターであり、フランス語はできません。しかし街では地元民のフランス語がたくさん耳

に入ってくるので、とても**不安な気持ち**になりました。

　そんなときに心を動かしてくれたのは結局、施設やお店の入り口付近から伝わってくる、**歓迎されていると感じられる雰囲気**と、店員さんの笑顔でした。

　具体的には、「Welcome」と書かれた看板やドアマットでした。また、表に出ている**メニューに英語表記**が付いていると、「入っても注文ができそう！」と思い、入店する勇気が湧いてきました。実際にお店に入ると、店員さんが「ボンジュール！」と笑顔で迎えてくれたことでひと安心。「フランス語ができない」と伝えると、「English is good!」と英語に切り替えてくれて、とても自然に迎えてくれました。まずは同じカナダ人として扱ってくれて、そうじゃないとわかると、私に合わせてくれるという**心地よい歓迎**でした。

●「将来の顧客」をつかもう！

最初から歓迎してくれた店に戻る！

　これが「一時的な居住者」である娘ということになると、レベル2のお客ということになりますが、フランス語はそこまで得意としていませんので、レベル1のケースと同様、歓迎のポイントが非常に**重要**となります。

　まずは地元の人を迎えるときと同様の「いらっしゃいませ＝ボンジュール」と呼びかけ、お客さんがフランス語を不得意だとわかったら、スピードダウンするか英語に切り替えるか……これは**店員さんの腕の見せ所**ですね。そして、レベル1が成長すると当然レベル2となりますが、もともと初級者の段階で歓迎してくれたお店を**再び訪れる**可能性が高いです。例えば、レベル2となったビジターがその地でパーティーをするとなったとき、レベル1の時から歓迎してくれた店に、きっと戻ると思います。つまりレベル1の方々がいずれレベル2やレベル3に発展していくことを念頭に置いて、初級レベルの層への対策を、**今のうちから考えておきたい**ものですね。その方々がいずれ幹事となり、他のビジターさんたちを連れてくる身となる将来は遠くないかもしれません。

　未来の大事な幹事の卵たちへのアピールに「1，2，3ツーリズム法則」は、役に立てると思います。それでは、**将来の顧客の卵たちをゲット**しましょう！

レベル1 初級

初来日！ 日本語表示は 一切わかりません！

繰り返しになりますが、お店やホテル、宿泊施設の前に「Welcome!」というサインを常設しましょう。 また、それぞれの国のホリデーに合わせたメッセージはすごく目を引きます。例えばインドでしたら「Happy Diwali!（ハッピー ディワリ）」などインターナショナルホリデーを意識した表示をすると、「外国人を歓迎しているお店だ」や「私の国のことが分かっている！ 前向き！」などと捉えてもらえるので、外国人の通行人や近隣に住む外国人への素敵なアピールになります。

もしあなたの会社のお客様に米国人がいるのなら「Happy 4th of July!（独立記念日おめでとう）」などを表示すると、親近感が湧きます。その国や人々自体を応援していることを明確に伝えると、外国人幹事（＝日本滞在の方で広告塔となっている方々）がお店を認識し、優先的に利用してもらえるかもしれません！

また、こういった看板表示をすることで、来日された レベル1 の方々が、自分との関係を看板で見つけることができます。結果、あなたの会社のお店や観光施設、宿泊施設に入りやすくなります。

ここで1つ、とても大事なヒント！ 日本のホテルや旅館の1階に喫茶があることに気づいていないビジターは意外と多いのです！

そこで、宿泊者限定でなければ、エントランス前にこんな表示をすると、集客アップにつながるかもしれませんよ！

Welcome!
Everyone can Enjoy our Coffee Shop

[　　　　ショップの名前　　　　]

> ショップ名の近くに、from 10 to 17:00 など、宿泊でない方がご利用できる時間帯を入れるといいですよ！

レベル2 中級

4〜5年日本にいるので、日本語がある程度わかります！

レベル2 の方々に大事なのは「スマイル」です！ 日本語がある程度できるとかえって、**話すための勇気が半端なく必要になるのです**！

日本語がわかればわかるほど、**自分がどれだけわかってないのがわか**るので、自信をなくす方が多いのです。ですがこのレベルの方たちは、日本に来る友人や家族の幹事になっている方が多いです。そのため注文や予約を「受ける」のではなく、**「手伝う」という姿勢を打ち出すこと**が効果的です。例えば、「もしもし、よやくぅぉ、いれたい。できますか？」と、電話や対面で言われたら、まずはスマイルで **「ありがとうございます！ もちろん大丈夫です」** と、言いましょう。こちらもゆっくり話せば、相手は日本語レベルについての恥ずかしい気持ちが解消され、ビジネスへの導線にスムーズに入っていけるでしょう！

レベル3 上級

日本語はできるが漢字が苦手なグループです！

　2018年のデータによると、東京に住んでいるアメリカ人の中長期滞在者はなんと**5万人以上**います！　もちろん欧州の方々もたくさんいますし、ニュージーランドやオーストラリアの方々も増加傾向にあります。何度も述べてきましたが、この方々は、皆様のお店やサービスの大事な**広告塔**であり、**口コミの元**にもなります。

　その一例として、私の会社の「コア50グループ*」のとあるメンバーが「トリップアドバイザー」の書き込みをすると、なんと**世界中の7万人**ほどの方が読みます。

　つまり、あなたの目の前にいる「日本語ができる外国人」は重要なキーマンだと認識して接するようにしましょう！ということです。

　彼らに新しいメニューについての意見を聞いたり、その方への最初の飲み物を**無料サービス**にしたりするなど、VIP扱いをすればするほど、多くの仲間を連れてきてくれるでしょうし、**影響力抜群の口コミ**を書き込んでくれたりすることを期待できます！　頼りになる営業マンですね！ ナイス！

　「レベル1, 2, 3」との付き合いをそれぞれ極めていけば、消費への確実な導線づくりが可能ですよ！

★**コア50グループ**：日本各地に在住し、様々な業界で活躍する、高いスキルを持った外国人のメンバーにより構成されている。メンバーの外国人目線でのアドバイスにより、日本のお店や施設でのビジネスに外国人顧客を呼び込むためのサポートを行っている

レベル1 のゲストの出迎えを想定したご案内ダイアログを練習しましょう！
👤=ゲスト、📱=あなたです。音声を聞いて、真似して言ってみましょう。ロープレにも取り組みましょう。Let's do this!

◎頑張って英語でご案内1

いらっしゃいませ！

Um. Konnichi wa?
あー、コンニチ…ワ？

Hello. Welcome!
こんにちは！ ようこそ！

Do you speak English?
英語は話せますか？

Only a little, but I will try.
少しだけですが。頑張ります。

Um. I would like to borrow the bathroom.
あー。バスルームをお借りしたいのですが。

Please repeat much more slowly.
もう少しゆっくりめでリピートしていただけますか？

Bathroom? Toilet? Borrow please?
バスルーム。トイレ？ 借りる？

Oh yes, back of store.
あ、わかりました。お店の奥にあります。

Thank you!
ありがとう！

No problem.
どういたしまして！

◎頑張って英語でご案内2

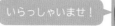

いらっしゃいませ！

Um. Konnichi wa?
あー、コンニチ…ワ？

Hello. Welcome!
こんにちは！ ウェルカム！

Do you speak English?
英語は話せますか？

Only a little, but I will try.
少しだけですが。頑張ります。

Um. I would like to buy some shampoo and conditioner.
あー。シャンプーとコンディショナーを買いたいのです。

Please repeat much more slowly.
もう少しゆっくりめでリピートしていただけますか？

Shampoo? Conditioner? Do you have?
シャンプー？ コンディショナー？ ありますか？

Oh yes, follow me. Many types.
あ、わかりました、ご案内いたします。種類がたくさんあります。

Which do you recommend?
おすすめは？

Maybe this set? It includes body wash too.
こちらのセットはどうでしょうか？ ボディシャンプーも入っています。

Yes, that is good. I'll take this.
いいですね！ そちらにします。

Thank you very much!
ありがとうございます！

TOPIC 17

Payment
お勘定のコツ

> レベルにかかわらず、レジや支払いで緊張しているビジターは意外と多いのです。緊張を緩和して、消費UPにつなげましょう!

Photo: xiangtao / PIXTA (ピクスタ)

● レジでの外国人…緊張しています‼

外国人はここでも
緊張しています!

来日したばかりの頃、日本の小銭になかなか慣れませんでした。レジに向かい、「356円になります」などと言われた時にはすごく緊張した覚えがあります。後ろで並んでいる方を待たせている自覚もありましたし、レジのスタッフの方の前で躊躇している自分が恥ずかしかったです。結局、手のひらの上に財布に入っている小銭を全部出して、「どうぞ取ってください」と言いました。こうしてその場を乗り切ったことは数えられないくらいあります。

　レジの前、行列の先端にいると緊張しますよね。なんとなく焦ってしまいます。

　1988年当時の日本では、今のようなレジの機械ではなく、数字が表示されないことも多かった気がします。口頭で告げられる金額に頼らざるを得ず、聞き取れなくて違った額を出したりすると顔が真っ赤になりました。

　今は今で、「Tポイントカード」や「確認ボタン」や、レシートとレジ袋が必要かどうかなど、たくさんの質問を受ける時代になりましたね。おそらく私が レベル1 だった時代よりも難しくなっていると思います。

　レベル1 の外国人はとくに、めちゃめちゃ緊張しているはずです。

　インバウンドに関わる外国人が増える中、いかに消費活動をしてもらうかということは、生き残りを左右します。そして（当然ですが）消費活動には「お金」が欠かせませんから、レジ前で緊張している訪日ビジターを、できる限りリラックスさせてあげたいですね。ここでも、「 レベル1 レベル2 レベル3 」の考え方が大いに役に立つと思います。一緒に考え、緊張せずに満足してお金を払ってもらえるような日本にしていきましょう！

「売上拡大」がテーマとなっている多くの事業者にとって、「お金」は大事なポイントですね！ 貯金して来日される観光客の皆様が、お金が使いづらい状況となれば、日本への経済効果も皆様の商売繁盛も期待できません！

①②③ レベル別 おもてなしポイント!

ワン ツー スリー

レベル1 初級

いくらゆっくり言われても、日本語はわかりません!

　バスの運転手さんやレジに立っている店員さんなどで、外国人観光客に値段を伝える際に、大きな声で言えば日本語のままで通じると勘違いしている方をよく見かけます。「三百円、三百円、三百円!」とボリュームを徐々に上げながら、ひたすら日本語で外国人にわかってもらおうとするのです。

　日本語がわからない レベル1 の方からすれば、怒鳴られているように感じますし、それぞれの習慣から、「はあああああ?」「チッ（舌うち）」「Eh?」などの返事を受ける可能性もあるでしょう。

　ご存知でしょうか? 台湾の人は、わからない時に「はああああ?」と言いますし、ハワイ出身の人は「あかん!」と思った時に舌打ちをしたり「え!」と言ったりします。そして、英国の人はわからない時に「Eh?」と言うのです。

　日本人からしてみると、どれも失礼に聞こえますが、全く悪気がなく普通にリアクションをしているだけなのです。

　また、繰り返し日本語を叫んでいる日本人は外国人からしてみれば、単純に怖いです。では何をすれば良いのでしょう? そうです! 英語を頑張りましょう!

「三百円」だったら、「スリー・ゼロ・ゼロ」というカタカナ発音で問題ありません！ 英語で数字を言うだけで、ほとんどの方に通じるはずです。指を使ってジェスチャーを入れれば、なおわかりやすいです。とても簡単な対応策でしょう？

レベル2 中級

ある程度日本語はわかるが、たくさんの数字が入っている値段は聞き取りにくい！

4〜5年くらい滞在している レベル2 の外国からのビジターさんにとって、たくさんの数字が入っている値段は聞き取りにくくなります。また、母国の通貨で考えることが多いので、計算する余裕を少しあげると親切です。

例えば電化製品の売り場で、電卓を持ってきてパパパーン！と数字を見せる商法があると思います。相手の外国人が数字を見て固まっているように見えた場合、それは「わからない」のではなく、一生懸命に頭の中で母国の通貨に切り替えていると思ってください。それぞれの通貨がわからなくても、100円＝1ドルと計算してみると、買い手の外国人にとってはすごく参考になります。

「Depending on exchange rate ...（レートの変動によるが…）」という一言を添えて、「アバウト〇〇ドル」と話せば、どの通貨を考えていても参考になります。トライしてみてください。

日本語はわかりますが、値段表記は数字でお願いします！

　このレベルは長期滞在者で、「日本語はできるが漢字が苦手」という
レベルです。漢字の見た目はとてもかっこいいと共感する人が多いです
が、漢字だけのメニューや品書きは、かなりハードルが高くなります。
ですから、できるだけどこかにふりがなを追記しましょう！

　また、多くの人にとって、「五百円」の表示をサッと理解するのは難
しいはずです。「￥500」の併記さえしてあれば、外国人消費者たちは
商品購入についてよりしっかり検討してくれるようになります。

　このような、値札のちょっとした工夫で、皆さんの商機が増えるはず
です！　もともと日本人が得意としている、繊細な気配りが大きなチャ
ンスに繋がるということなのです！

おもてなし接客英会話 <u>支払いやりとり</u>

レベル1 のゲストとの、店舗のレジを想定したご案内ダイアログを練習しましょう！

😀 =ゲスト、👤=あなたです。音声を聞いて、真似して言ってみましょう。ロープレにも取り組みましょう。Let's do this!

◎コンビニのレジ

いらっしゃいませ！

 Konnichi wa.
コンニチハ（片言の日本語で弁当と缶ビールをカウンターにおく）。

ありがとうございます。
ポイントカードはございますか？

☞最初はレベル3扱いとのことを忘れないでください！

What?
なんですか？

Do you have a store card?
この店のポイントカードはありますか？

No.
いいえ。

◎あたためますか？

Ok. Shall I heat this up?
わかりました。こちらを温めますか？

 Yes, please.
はい、お願いします。

Please touch confirm that you are over 20.
20歳以上の確認のため、ボタンを押してください。

Okay.
了解です。

Would you like chopsticks?
お箸は必要ですか？

Yes.
はい！

◎レジ袋&レシート

Would you like to have separate bags?
袋は別々にしますか？

No bags needed.
袋は要りません。

Here is your receipt.
レシートをどうぞ。

Thank you.
ありがとうございます。

Have a nice day.
いい1日になりますように。

◎レジの頻出表現

□レジ袋は要りますか？	Do you need a bag?
□年齢確認をお願いします。	Please confirm your age.
□イートインですか？	Will you eat here?
□持ち帰りですか？	Is this to go?
□喫煙スペースはありません。	We do not have a smoking area.
□セルフサービスです。	This is self service.
□トイレはありません。	We don't have a toilet.
□ポイントカードはありますか？	Do you have a point card?
□袋を分けますか？	Shall I use separate bags?
□両替にはお買い求めが必要です。	To break a bill, a purchase is required.
□消費税は10％です。	The consumption tax is 10 percent.
□切手あります。	We sell stamps.
□温めましょうか？	Would you like this heated?
□宅配便	Delivery service
□コピー機	Copy machine
□銀行ATM	Bank ATM
□利用できる	Available for use
□利用できない	Not available for use

TOPIC 18

Follow up
フォローアップ作戦

ここからは帰国されたビジターさんたちへのヒアリング、リピーター、紹介確保を促進するヒントをお送りします。

Photo: tantan / PIXTA（ピクスタ）

● カットアウトボード

いわゆる"顔出し看板"ですね！

ソーシャルメディアやレビューサイトの書き込み依頼を大事にしましょう！

日本の観光業において、「インフルエンサー」という言葉をよく耳にします。ネットワークを持っている方が、あなたの店の料理の写真や施設の前で撮ったセルフィーなどを、「良い」と判断すれば投稿してもらえることがあります……"インスタ映え"ということですね。

日本各地の観光施設に行くと、インスタグラムにアップしてもらうための

カットアウトボード（顔出し看板）が用意され、有効に拡散を促していることがあります。看板を製作するには時間と費用がかかると思いますが、このあたりにも、「1，2，3ツーリズム法則」の考え方は、役に立つと思います。

レベル1 の一見さんを考えると、看板には場所の名前と「Japan」を必ず表示したいですね。そしてスマホ達人の若年層の多い レベル2 のためには、HPのURLやQRコードもちゃんと入れておきたいです。

レベル3 の方々のためには、ちょっとした説明をどこかに入れておきたいです。例えばNHKの朝ドラの『あまちゃん』のロケ地となった岩手県の久慈駅前。そこで『あまちゃん』グッズを売っているお店の前にも、写真撮影用のカットアウトボードがありました。朝の連続ドラマを見ていて、そのボードの背景を知っている外国人は レベル3 のみだと考えられますが、日本の文化に深く根付いた話にどこまでついていけているかは、少し不明ですね。ですが、久慈駅周辺を歩くと『あまちゃん』の店は必ず目に入りますし、リアルな『あまちゃん』風景のカットアウトも目に入るのです。そこで、外国人ビジターの拡散を促すためには、以下のようなことを実践すると効果的です。

レベル1 ：絵の下に、以下のように表記する。

Kuji City, Iwate Japan.
Filming location for NHK drama "Ama Chan"

レベル2 ：上記に加えて、街の公式ページのURLやQRコードを掲載する。

レベル3 ：以下のような説明文を、小さくてもどこかに入れましょう。
『あまちゃん』というNHKの人気連続ドラマは久慈で撮影されました。「海女（あま）」と呼ばれている女性たちは、昔からこの地域で海に潜り、ウニなどの貝類を集めることを職業としてきました。女性のタフさと前向きな姿勢が多くの方の励みとなり、ドラマは大ヒットしました。

投稿された写真をほかの レベル3 が見れば、都会中心に居住する滞在外国人であれば、遠く離れている日本の場所にも興味を持ち、遊びに来てもらえる可能性が高くなります。

● インフルエンサー

影響力大ですが
注意も必要!!

とても大事なことですが、何百万人ものフォロワーがいるようなインフルエンサーは、どちらかというと「自分」を中心に考えて活動しています。決して「自己中心」ではないのですが、フォロワーの皆さんが「自分自身」をフォローしていることを強く自覚しています。

私の会社が一度、あるお客様のために２百万人のフォロワーを持つ「インスタグラマー」と言われるような人に、宣伝をお願いしたことがありました。宿泊やトリートメント代をお支払いしたうえで謝礼もお支払いする決まりでしたので、そのとおりにお願いしました。ご本人は30代の女性で、世界中を旅する裕福な生活をしている方だったので、まさに囲い込みたいターゲット層の代表的な存在でした。ご多忙な方でスケジュール調整がたいへんでしたが、弊社スタッフ同伴のもと、オープン前の施設での撮影を実施することができました。

その施設では、プールから富士山が見えました。「富士山ビュー」は外国人にとっての大きな売りのため、そのビューをバックに写真をたくさん撮ってくれました。しかし、彼女が実際に投稿したのは富士山がギリギリでしか見えない、ご本人中心の１枚だけ。「いいね」は確かに何百もいただいたのですが、その「いいね」は、主に彼女の生活や本人自体に対する「いいね」だと理解しました。

同行したスタッフからの話を聞いて、インフルエンサーにお願いする時の注意点を整理しました。せひともご参考にしてください。

注意点❶ 行った場所が人気になるとは限らない！

　フォロワーの皆さんは、その本人をフォローしているのだという認識をもつこと。本人が投稿する内容をフォローしているのではありません。本人が身につけている指輪やアクセサリーが売れるのは、「同じような格好になりたい」とフォロワーが考えているだけのことだとわかりました。背景にある場所やホテルに「行きたい」と思ってもらうことはできても、実際に来られるフォロワーは少ないのではないかと思います。時にはどの場所にいるか、その地名を投稿しないインフルエンサーもいます。フォロワーはインフルエンサーのライフスタイルとファッションそのものを魅力的だと思っているため、服やアクセサリーは売れるでしょう。ですが、行った場所や映った場所が有名になるとは限らないのです。アニメの聖地やロケ地が人気なのは、その場所に対しての思いを共有しているからだと思います。インフルエンサーが明確に「この場所に対する想いや、できること」をアップする際に説明しないと、場所はただの背景にしかなりません。

> ⁂ 改善策 by ルーシー　消費への導線を途切れさせない！
>
> 　まず、営業戦略中のインフルエンサーの立ち位置をよく考えることが重要です。
>
> 　身に着けるアクセサリーや化粧品などでしたら、フォロワーが購入してくれると思いますが、その購入方法の情報やオンラインショップの整備などがないと、消費したくても消費への導線が途切れてしまっていることになります。
>
> 　また、海外の店では手に入らないような日本特有の商品にインフルエンサーの力を使うのであれば、オンラインで購入できるような仕組みを整えないとダメだと思います。

注意点❷ インフルエンサーによるディレクションが欲しい

インフルエンサーによるディレクションがないと、我々が提供している場所は、投稿のサブカテゴリー＝付属的なコンテンツとしかなりません。今回の撮影では、弊社がサポートするホテルでの宿泊も提供し、弊社負担でした。暗黙の了解で、宿泊先もアップしてくれると期待していたのですが、プラスのギャラがなかったからなのか、ホテルのレストランで食べたポテトフライしか投稿してくれませんでした。そして、ポテトフライの投稿はホテルのハッシュタグや情報が一切入っていませんでした。企画者としては正直、少しがっかりしました。

改善策 by ルーシー **期待値を事前にしっかり伝える！**

まず、インフルエンサーに対して、こちらの期待値を明確に言語化することです。こちらが集中的にアピールして欲しいコンテンツを10個ほど事前に提案します。そのうち2個くらいしか投稿してもらえないかもしれないという覚悟をしなくてはならないのですが、それぞれの10個につくハッシュタッグとリンクも事前に伝えると、いくらか効果があると思います。

できるだけ、場所や商品を「見せる」ことではなく「伝える」ための仕掛けをするのです。「＃世界一のフライドポテト＃ホテル●●」など、少しでも具体的な情報と本人の気持ちとハッシュタグが付くような仕掛けをするのは、我々の腕の見せどころだと思います。

● 自社がインフルエンサーになる

本当の効果は自力で
発信するところから

　有名な YouTuber や Instagramer に来てもらって、ターゲット層にもなっているフォロワーに向けて、一気に情報拡散やバイラルを狙うのは、良くないことではありません。ですが、私が伝えたいのは、これらプロのインフルエンサーはあくまで**全体作戦の中の一部に過ぎない**ということです。

　営業について考えるとき、外部の人に営業を任せることは、「受け身」の姿勢となりますよね。外部の人のご協力を得て、全体の営業作戦の1パートを担ってもらうのは**賢い**ことですね。インフルエンサーの力は、ウェブでの発信の一部だけです。本当の効果は、**自らインフルエンスしないといけない**のです。地味で手間暇がかかりますが、フォローアップ作戦を実行することで、**リピーターや紹介を獲得**することができるだけでなく、さらなる新規開拓ができる手法はいくらでもあります。

　皆さんのコンテンツに対してのリアクションについて、「1，2，3ツーリズム法則」で考えてみましょう！

レベル1 ：「いいね」「フォロー」「評価」してくれるグループ

　ページに「いいね」を押してくれたり「フォロー」してくれたり、もしくは何かの評価（星マークなど）をしてくれます。

　こちらの方々は、**閲覧だけでなく、動いてくれている**と思ってください。ありがたいことです！　観光して、いろいろなところをまわっている人が多く、観光地ごとにランクやフォローをしてくれます。なお、滞在期間が短いため、企業に対しての特別なロイヤリティは生まれにくいのですが、実際にアクションを起こしていることで、**口コミ強化**につながります。この方たちに対しては、しっかりとインフルエンスしたいですね。場所や味だけについての**表面的な**コメントだけかもしれませんが、**拡散効果は得られます**。

> **📖 改善策 by ルーシー** 「いいね」に対してはお礼を送信！
>
> 例えばこんな感じで、お礼のコメントをお送りするといいと思います。
>
> **Thank you so much for liking our page.**
> (ページに「いいね」を押してくださり、ありがとうございます)
>
> **Please share our information with your friends!**
> (お友達にもシェアしてください)

> **📖 改善策 by ルーシー** 評価や口コミには返信を！
>
> 評価や口コミをしてもらった場合は、悪くても良くてもそしてランクも関係なく、ぜひていねいに返信するようにしましょう。時間をかけて評価をしてくださったお客様はありがたいですね！
>
> **Thank you very much for taking the time to rank our service.**
> (お時間を割いていただき、弊社を評価してくださり、ありがとうございます)
>
> **We really appreciate your feedback.**
> (フィードバックをありがたく承ります)

また、出来るだけ「フォロー」してくれた方々に対しては、バックフォローをしましょう。ただし注意が必要！ バックフォローする前に、どんなページ内容なのかをよくチェックしてください。客観的に見ると、企業が先方をフォローするということは、先方のページ内容を評価していることになります。ですので、自社のブランド力に傷がつかないよう、相手のページの内容と姿勢の与信が大切です。私が守ろうとしている基準としては、裸、バッドワード（ヘイトスピーチも含む）と極端にネガティブなことが書かれているページはフォローをしないなどです。全部の投稿内容をチェックできなくても、トップ写真や投稿内容をざっくりと見るだけでも、大体の見当はつくと思います。必要以上にナーバスになることはありませんが、念のため、誰とSNS上でつながっているかを気にしたいですね。

レベル2 ： レベル1 に加え、一言コメントをしてくれるグループ

このレベルの方々は、「いいね」をクリックするだけでなくコメントも書いてくれる、皆様のコンテンツに対して少なからず興味をもっている方々です。

日本をある程度理解していることもあり、皆さんの商売やサービスの良さや改善してほしいところが明確になっています。この方の周りには同じような方がたくさんいたり、 レベル1 の知り合いも多いはずです。

シンプルでもいいので、何かのレスポンスをすることで、リピーターになってもらうか、他への宣伝をしてもらうためのインフルエンスがしたいですね。

☞ 改善策 by ルーシー ┊ 万能レスポンスはこれ！

Thank you so much for taking the time to write this comment and give us feedback.

（お時間を割いてコメントを書いていただき、本当にありがとうございます）

We are always trying to improve our services for guests, so your comment really helps us try to be better.

（弊社は日頃からより良いサービスを目指しており、いただいたコメントは我々の改善のためにたいへん役に立ちます）

大事なポイントとして、閲覧者はコメントを読んでいるだけでなく、コメントに対してのレスポンスも観察していると思ってください。返信を真面目に行っていくと「あそこはよくないコメントに対しても前向きだね」「あそこはコメントに対してちゃんと返信する！」というようなプラスの評価につながり、次なる顧客への良い影響を与えることができます。

　コメントが具体的であり、かつ適切なアドバイスが含まれているのであれば、このレベルの方が書いてくださった可能性が高いと考えてください。

　このレベルの方々に対してはまず、（会社に書き込みの言語が読めるスタッフがいない場合は）自動翻訳機能を用いて、だいたいの内容を把握してください。なお、日本や企業をよく知っているこの層に、雛形のメールを返すだけでは不親切だと受け取られ、逆効果となる可能性もあります。大事なコメントを親身になって読んでいるという姿勢をお伝えしましょう。

改善策 by ルーシー : 具体的に返信！

Thank you so much for taking the time to write this helpful comment.
（貴重なお時間を割いてたいへんためになるコメントを投稿していただき、まことにありがとうございます）

We are glad you enjoyed the ○○ and also appreciate your advice about ○○.
（○○を気に入ったと聞いてたいへん嬉しく思います。○○についてのアドバイスも感謝します）

We continue to try and improve each day and feedback from valued guests like you really help.
（日頃の改善への努力に活かしたいと思います）

　レベル2同様に、この層の周囲には同じタイプの日本滞在の外国人や外国人と関わりを持っている日本人や、海外にいる潜在顧客のネットワークが豊富です。わざわざコメントを書くことで、施設側からも具体的な返信をしている状態をオープンに見せることができるアピールチャンスとなります。

口コミサイトなどのプラットフォーム上の返信は、お客様を大事にしている明確な自己表示となります。ありがたいことに、インターネット上の返信は半永久的に残りますので、長期目線での評価作りに役に立つのです。また、もしもネガティブなコメントをされてしまった場合には、こんな返答が有効です。

改善策 by ルーシー | **ネガティブコメントに返信**

We are sorry that you did not enjoy your experience with us. We will continue to do our best to provide good service to all our guests.
（我々の施設についてご満足いただけず、申し訳ございません。全てのお客様へのベストサービスの提供ができるよう、引き続き努力してまいりますので、どうぞよろしくお願いいたします）

Thank you so much for taking the time to write this helpful comment. We take your advice for improvement very seriously and will reference that going forward.
（貴重なお時間を割いてたいへんためになるコメントを投稿していただき、まことにありがとうございます。ご指摘の改善点を慎重に受け止め、今後のレベルアップ策の参考とさせていただきます）

Thank you so much for taking the time to write this helpful comment. We understand that some of our policies are unusual to international visitors. We will do our best to balance our service to welcome all guests, both international and Japanese.
（貴重なお時間を割いてたいへんためになるコメントを投稿していただき、まことにありがとうございます。インターナショナルなビジターさんにとってご納得いただけないポリシーがあると認識いたしました。今後とも日本のお客様もインターナショナルのお客様も両方にとってのベストサービスを打ち出せるよう尽力いたします）

これで、第1章「現場＆フォローアップ編」は完了です。

　外国からのお客様の「日本理解度レベル」を想定し、特に今後増える＆消費が見込める欧米豪の レベル1 ビジターに向けた対応を、まずはしっかり固めていきましょう！

　巻末には、そのまますぐに使える文例リストも収録しておりますので、併せてご活用くださいね！ 万全の受け入れ体制を目指して、今日から、今からスタートです！

第2章

the Internet

1, 2, 3ツーリズム法則のおもてなし
インターネット編

訪日観光客誘致は、実は来日前から始まっています！ 施設や店舗の公式ホームページを、「レベル1」のビジターにも魅力を感じてもらえるように、しっかりカスタマイズしていきましょう！ 超重要な15のPOINTに分けて、実践的な対策法を、ルーシーがお伝えします！

Photo: Graphs / PIXTA（ピクスタ）

POINT 1

HPは情報発信の
マザーシップと心得よう！

外国からのお客様のご来日・ご来店前は、ホームページこそが情報発信のマザーシップであることを認識しましょう！

ソーシャルメディアやOTA（＝ Online Travel Agent）サイトなどは、お店や施設を知るキッカケに過ぎません。顧客は必ずHPを訪れて、ソーシャルメディアなどで知った情報を確かめます。そして、サイトを通して顧客と店舗・施設が直接的に接触をもつことで、その付加価値を顧客に印象づけ、長期にわたる関係づくりを開始できるのです。

ホテルのホスピタリティ業界関連企業のコンサルをしていると、しばしば次のようなケースを目にします。もし思い当たることがあったら要注意！

[1] **外のポータルサイトに依存している**

お客様からダイレクトに問い合わせを受けるよりも、外の紹介サイトを経由することが多いケース。しかも、直接の問い合わせ価格が、ポータルサイト経由より高い場合も。

[2] **外のポータルサイトの言いなりになっている**

施設の適正価格を第一優先にせず、業界やウェブ上の「標準価格」に合わせているケース。従来の価格を守る姿勢ではなく、ウェブ上の平均値を目指して価格競争に巻き込まれている状態に。

[3] **自前の付加価値をはっきりさせて、その付加価値に合うお客様をとりに行くより、団体誘致などを通して人数を追っている**

現場のスタッフもリーダーも、自分たちのオンリーワンな長所を十分に把握してないため、施設の付加価値の共有ができておらず、HPなどでお客様にも伝え

きれていない。

　施設の説明やお客様との繋がりを外部に任せていると、**主導権を他者に任せ**ていることとなり、現場スタッフの営業マンとしての当事者意識が薄くなると考えます。もちろん外のエージェントは重要なのですが、何より大事なのは企業自身が持続するための運営能力なのです。

　私は長い間、不動産の賃貸営業をダイレクトに行ってきましたが、仲介業者（＝外のエージェント）にお願いする顧客の割合を、**全体の30％にとどめる**ことが大事な営業戦略でした。残りの70％の内訳としては、20％が新規開拓した顧客で、50％は既存のお客様からの紹介やリピーターでカバーするようにしました。外部のエージェントに送客を任せることは、リスクが高いと考えたのです。もし何らかの事情で、外部エージェントが送客できなくなった場合、**一箇所への依存率が高いとこちらのダメージも大きくなります**。

　また、外部に依存していると「〇〇くらい割り引かないとお客様の予約は入らないよ」というワードに営業部隊が弱くなり、ついつい**本来の適正価格**よりも「**売れる価格**」に傾く傾向が出てきます。

　そして最後に、運用管理と外部エージェントとのコミュニケーションにミスがあると、（エージェント自身のウェブ上のキャンペーンなどで）エージェントが提示する価格と、お客様がダイレクトに営業部隊に電話やメールで予約しようとしたときに提示される価格に相違が出てしまう恐れもありました。事態を把握し、顧客に対してきちんと説明ができるなら、直接の問い合わせよりもネット予約の方が安いという状態は問題ないと思いますが、もし説明できないとなると、**不信感を招きかねません**。

　インバウンドビジネスにおいてもこれらは完全に当てはまることで、お客様への透明性と信頼関係のためにも、**外のエージェントには頼りすぎず、必ず対等の関係でいること**を、しっかりと念頭に置きましょう。

POINT 2

ホームページは最強のCM！

1　テレビのCMは、テレビを見ている方々（＝潜在顧客）の、コンテンツに対する認知度を上げるのが目的

⇒HPは、インターネットで日本旅行の行程を検討している外国人潜在顧客の、コンテンツに対する認知度を上げるのが目的

⇒日本旅行の行程に加えてもらうために自前の「オンリーワン」をわかりやすく伝えるツールとして、HPが最適！

⇒閲覧者数はボーダーレス、世界中にいます！　費用対効果の観点から考えても、すごく効率のいい宣伝ツール！

⇒興味を持った潜在顧客が、コンテンツについて問い合わせをしたくなる

⇒コミュニケーションの難易度を考慮し、電話ではなく、メールでの問い合わせやオンライン予約へと導くようにする

　ウェブ上の予約やメール問い合わせなら履歴が残るので「言った・言ってない」問題にならないため、お客様も店・施設も安心です！

2　テレビCMを見て購入意欲が湧いた消費者に対して、消費の機会を与える（どこで売っているか、電話問い合わせを誘致するか、など）

⇒HPで問い合わせをいただいたら、消費につながる次のステップを必ず提示する！

⇒事前予約が不可な商売なら、来店・来場・購入を必ず実現するためのアクセス案内を明確に伝えましょう

　HPを訪れるお客様に、お店や施設の付加価値を早く、明確に伝えられれば、「当たり前」の違いから生まれる誤解やクレームを防ぐこともできます。

POINT 3
外部チャンネルやエージェントは
お見合いに例えるとわかりやすい！

　繰り返しになりますが、外部リンクや関連サイトや口コミサイトはとても重要ですが、ホームページの役割とは異なっているということを忘れないでください。

　SNSやブログなどのメディア ＝ 出会いのキッカケです。お見合いに例えると、「相手の写真を見る」ところ。もしも画像が魅力的でセンスが良さそうだったら興味が湧きますし、会いたいと思うようになるのではないでしょうか。

　また、OTAサイトは「良き仲介者」となります。お見合いで言うと「仲人さん」にあたります。両者の益を考え、最終的に結婚を望み、成功すれば、仲人さんの顔もたちます。頼りになりますね！

　そして口コミサイトは、お見合いで言うところの「信頼できる友人」です。見合い相手のことについて友達に相談するように、「旅行中に行こうかどうか検討している施設や店」の評判を知るために参考にする情報源です。

　そして、もっとも大事なHPは、お見合いに例えると、「初のご対面」となります。

　お見合いの前に靴を綺麗に磨き上げ、散髪に行き、爪の先にまで気を配るのと同じように、HP内の情報は完璧にしておきたいものです。たとえ素敵な見合い写真、仲介者の頑張り、周囲の高評価があっても、実際にお会いしてみたら身だしなみや態度でがっかり…なんてことになったらアウトですよね！ 言葉をていねいに考え、身だしなみを整えて、ベストな自分（HP）を見せたいものです。

全レベルのビジターが好印象を抱く「3Sのルール」でページづくりを！

1 S = Simple

コンテンツの「オンリーワン」、外国人にもっとも刺さる付加価値を、シンプルに伝えていますか？

2 S = Straightforward

コンテンツへのアクセス方法、価格、利用条件はダイレクトに明確に表示されていますか？

3 S = Safe

頻繁に更新し、正確性をチェックしていますか？　値段や開業時間やアクセス方法などの内容は、安心して頼っても大丈夫な状態ですか？

　HP以外のオンライン・プレゼンス（OTAサイト、ポータルサイト、ブログ、ユーチューブ、インスタグラム、口コミサイトなど）の全てはHPへ誘導するためのキッカケであると思ってください。訪問先が外国など未知の場所である場合、たとえ口コミサイトの評価がよくても、OTA上の案内が魅力的であっても、やはりほとんどの潜在顧客は「元」の情報を調べたくなります。

　関連サイトのアクセス情報は正しいのか、OTAサイトで案内されている客室内はどんな感じなのか、周辺エリアはどのような場所なのか、などなど、色々とHPで確認します。オンライン上のプレゼンスは全部つながっていると思った方がいいですね。お値段やポリシーに相違があると、お客様は不安になります。また逆に、室内の雰囲気や温泉質やベジタリアン対応の有無などといった、より詳細な情報があればあるほど、お客様の心を掴むことができます。「3Sルール」の目線で、ぜひサイトを一旦チェックしてみて下さい。

POINT 5
HPを訪れる潜在顧客1名 ＝200名と考えよう

　まず、「ホームページを訪れた外国人は、インターネット上のほぼ無限のチョイスからあなたのお店・施設を選んでいる」ということを、今一度認識してください。

　もしかしたら、HPを見た潜在顧客が、ハワイではなく日本に行くことを決めるほどの重要な役割を果たしているかもしれないのです。

　そして、「その1名の閲覧者の周りには、少なくとも200名以上の方がいる」と考えるようにしましょう。間接的にではありますが、その閲覧者が同じような200名以上の人と繋がっていると考えると、1名の重要性を実感できます。

　私が以前結婚していた相手は、株式会社リクルートのトップ営業マンとしてすばらしく企業貢献していました。インターネット時代到来前の、飛び込みや訪問での営業スタイルでしたが、彼が大切にしていたのが「1名＝200名と思うようにしている」というモットーでした。

　つまり「今回の1名が次の顧客へと繋いでくれる」という思いで、つながった方1人1人を大切にし、お客様から愛されていました。

　HP作りについてもこの考えは当てはまると思います。HPを訪れる人を「UU（ユニーク・ユーザー）」としてカウントしていると思いますが、UUの実態は一人一人の「人間」で、200名の新規顧客を連れてきてくれる貴重な1人なのです。そう考えると、HPをお粗末な状態にしておけないですね。

　HPの内容を整え、問い合わせをゲットできれば、クロージング（＝営業活動における顧客との契約締結）の率は5割以上だと私は思います。

POINT 6

そもそもHP…
ありますよね？

　しかしここでまさかのブレーキ！　あ！　まだホームページを作っていないのですか？　なるほど。ということは、あなたのお店・施設は従来の顧客だけをそのまま大事にすると決めているのですね。つまり、新規顧客獲得にはそこまで尽力しないという方針なのですね？

　今の時代、HPがないということは、「新しいお客様は不要です」と言っているようなものなのです。もしくは、営業のコントロールを外部のサイトに任せているのでしょうか？　POINT 1にも書きましたが、外部のサイトや営業マンに任せていると、店舗や施設の付加価値が理解されず、同業他社との価格競争に巻き込まれる可能性が大！ですよ。

　委託先のインターネット運営業者から「その値段は平均より高いのでそのままでは売れないと思う」と言われたりしていませんか？　是非とも手綱をこちらで握って、商売をコントロールしたいですね。

　「違うよ！　外に任せたくない！　既存客だけでいけるとも思ってない！」ということでしたら、簡単な*ランディングページでも大丈夫なので、ぜひともHPを作るようにしましょう！　明日からでもどうにか作ってください。

　HPがない限り、商機の損失をしていると思ってください。時間はありません！　Hurry Up!

* ランディングページ：検索結果や広告などを経由して訪問者が最初にアクセスするページ。もしくは訪問者をダイレクトに注文や問合わせなどのアクションに結びつけることに特化したページ

POINT 7
言語問題…最初は「日本語のみ作戦」でもOK！

　あなたのお店・施設のHPは日本語のみですか？　そうであるなら、日本人の お客様と一部の レベル3 だけを受け入れる戦略となっていることになります。 たとえば レベル1 の外国人がHPをたまたま訪れても、「私のためのものではな い」と判断し、すぐにクリックアウトします。

　確かに、戦略上、日本人や日本語ペラペラの レベル3 の外国人オンリーをター ゲットとすることは、全く問題ないと思います。外国人を顧客候補として考え 始めたばかりなのであれば、この作戦は無難で、決して悪くありません。なぜ なら、日本語が話せない、読めない、日本の常識が一切わからない レベル1 を、 無理していきなり誘致すると、現場がたいへん混乱状態に陥ってしまうから です。

　私の会社では2012年から江の島アイランドスパ（えのすぱ）のコンサルを 行っています。

　えのすぱ自体は天然温泉と富士山・オーシャンビューを誇る施設であり、会 員様も多く、コンサル開始当時特に集客には困っていなかったのですが、将来 の新規顧客層を構築していくために、外国人を視野に入れることにしたのです。 早くから外国人を視野に入れたえのすぱは、今や毎月1000名以上の外国人が 来られるようになっていますが、最初の外国人誘致作戦は、とても慎重に進め ました。

　まず、えのすぱはtattoo入りの方および6歳未満のお子様の入館と、館内 での写真撮影をNGとしています。

そこでまずは「ルールだから」という説明が通る方々＝ レベル3 をターゲットに、外国人向けの営業作戦を展開しました。また、お客様からのフィードバックを生でお伺いしたいし、皆さんがスパでどう振る舞うかを検証したいため、最初の集客はかなりダイレクトなやり方で実行しました。Enoshima Island Spa Day を開催し、私個人のネットワークにいる、ターゲット層と思われる方々を招いて、スパで一日共に過ごしました。最初の数ヶ月は試用期間とし、「外国人のお客様がスパに対してどうリアクションをするのか」と「現場がどのように受け入れるのか」を、鋭く観察しました。

　そうやって、日本に長期滞在をしている レベル3 の外国人を中心に営業を進めると以下のことがわかりました。

> 🖎 レベル3 でも日本語の読み書きが苦手な方が多い。⇒HPに英語表記の追加が必要！
> 🖎 レベル3 の方々は、日本の常識が通じるだけでなく、たとえばtatooのルールなどについて、他のレベルの方への説明が上手。このように、レベル3 の方を先のターゲットとすると現場の負担がいくらか軽減され、助かるのです。
> 🖎 レベル3 の方は本当に日本を良く知っているため、他社との比較可能。意見を言ってもらうとたいへん参考になるうえ、改善策は他のところでの事例付きで話されるため、即効性あり！
> 🖎 レベル3 の方は、日本の文化をよくわかっているので、アンケート記入を嫌がる方が少ないです。オンラインでもペーパーでも レベル3 の方の提出率は悪くないです。しかも日本語で書こうとしてくれます！ ありがたい！

　このようなことから、まずは日本語でのHPで レベル3 を対象とする営業戦略は賢い戦略だと思います。最初は「よく知っている」方々を相手にするとい

　ただし、地名や専門用語などの日本語は、 レベル3 でも難しすぎるケースが多々ありますので、アクセス方法とメインのコンテンツだけでも英訳やふりがなつきにしていただければと思います。

POINT 8
HP自動翻訳機能より 日本語のみの方がまし！

　ホームページの自動翻訳機能が、日本語のみのHPよりも誤解とミスコミュニケーションを招いてしまうということを、ご存じでしょうか。

　以前、「お問い合わせ」の自動翻訳を検証したことがあります。それぞれのサービスごとに、機能の精度も様々だと思いますが、我々が検証した翻訳機能は、日本語をいったん英訳してから、他の言語に訳すというやり方のようでした。

　そこで問題になったのは、日本語の「お問い合わせ」です。「お問い合わせ」を英訳すると「inquiry」、これは問題ありません。ですが英語の inquiry をベースにしている翻訳機能は、そこからハイテクの迷子になります。英語の「inquiry」は、「調査」という意味も含みます。そのため、英語の inquiry からイタリア語に訳した単語が、イタリア語の「調査」となってしまったのです。

　そのままだと、メニュー画面の中の「アクセス」「企業について」などの項目に並んで「調査」という項目が掲載されてしまいます。イタリア人の閲覧者は驚くと思いますよ！「何の調査なの？」と考えてしまうに違いありません。

　不審な印象を受けたお客様は、そのままHPからクリックアウトする可能性が高いです。それはもったいない！ 多彩なお客様をおもてなしするために、多言語化がしたい気持ちはよくわかりますが、自前でマネジメントできない言語表示はやめましょう！ そして、ミスコミュニケーションが起きやすい自動翻訳機能も避けましょう！

　やはりホスピタリティにおいて、誤解や不信感は極力少なくしたいですね。ですから、HPの外国語表示は、日本人が長らく勉強している、且つ世界の共通語ともなっている英語にとどめてもいいと私は思います。

POINT 9
クレームを未然に防ぐにも ホームページは有効！

　総じて言えることですが、インバウンドにおいての「クレーム」は、できるものなら事前防止したいですよね。HPはここでも重要な役割を果たします！

　どういうことかと言うと、コンテンツ情報（良いことも悪いことも全部）をできるだけ多くHPで紹介すると、お客様は事前に情報を入手でき、旅行中どの行動をとりたいか、自身で具体的にイメージし、決められます。

　それによって、到着してからの「聞いてない！」「ええぇ？ ひどい！」「世界の他の国と違うよ！」みたいなクレームを、最小限に抑えることができるのです！ どころか、行動の決定権を事前に顧客に与えることは、素敵なおもてなしとなります。「スパでは tattoo がNG」など、中には不都合な情報もあるかもしれませんが、面と向かって厄介なクレームに対処するよりは何倍も現場が助かります。事前に開示することがベストです。

　クレーム防止の観点から考えると、ホームページの目的は、次の2つです。

目的1：新規の顧客層をゲットし、上手におもてなしをする

　　⇒外国人ビジターはコンテンツについて事前により理解できる。

　　⇒外国人の潜在顧客が増える！

目的2：消費を促進させる

　　⇒「現金払いのみ」「子連れ不可」などの情報をしっかりと掲載すれば、「カード払い不可なことをレジで知った」のような、お客様にフラストレーションが溜まるような状態を事前に防止でき、事前に現金を準備してくれるようになる

　　⇒「買い物」が成立し、売り手も買い手もハッピーになる！

POINT 10
外国人ビジター誘致のための英語ページの4つのルール

　再び言語の話になりますが、外国人が日本語のコンテンツが載っているホームページを訪れたときに、右上に「English」と表示しているだけでなんだか心があったまります。すごく歓迎をされている気持ちになります。

　つまり、「このビジネスは私みたいなお客さんを求めているんだ！」と感じるのです。英語のHPを整えている皆様に、まずは外国人を代表して感謝の意を申し上げます！ さて、英語のHPがあるのなら、あとは磨き上げて見せ方の工夫を行うだけです。Let's Go!

ルール１：頻繁にアップデートし、掲載情報の正確性を確保する

　公式サイトである以上、ソーシャルメディアなどよりも格段に正確な情報を掲載することが必須です。外国人潜在顧客はあなたのHPを頼りにしているので、そこへの投資を拒んではいけません。

　それには、英語のネイティブスピーカーと連携するか、スペルミスや違和感をおぼえる言い回しを指摘し、直してくれる人を調達することが必須です。

　日本語も同じだと思います。例えばあなたがニューヨークにあるステーキの名店に行こうと考え、事前確認のためにその店のHPを確認します。HPの右上に「日本語」というボタンを見つけたら一瞬にして盛り上がりますよね！「日本語だ！ 嬉しいな！」と喜んで開くとこんな文字が…。

> 「中くらい焼きステーキの有名店へようこそ！」

　少し不思議な日本語ですね……不安になりますよね。逆にもしこれが、「食

べてみたい」と思えるような素敵な日本語になっていたら、気分はますます盛り上がりますよね。

　英語や外国語についても同じです。「English」というボタンがHPの右上にあったら外国人の閲覧者は盛り上がります（☝HPの右上が一番目に入るそうです。念のためのヒント！）。「英語があるんだ！　嬉しいな！」って思います。ですが、「English」ボタンをクリックして出てきた英語が「My store good food! Come to today!（当店の美味しい料理を本日もドウゾ！）」のようなおかしな英語になっていると、がっかりします。絶対に避けるべき事態です。

ルール2：誘致力ある英語とそうでない英語の違いを理解しよう！

　手間暇かけて英語を使って情報を発信するのなら、正確なだけでなく、ぜひともコンテンツの特長が伝わるような工夫が盛り込まれた英文を掲載したいですね。少し例を見てみましょう。

普通の英語の例

Please come today and enjoy our delicious food!
（今日来て私たちのおいしい食べ物をお楽しみください！）

Enoshima Island Spa is on Enoshima Island in Kanagawa Prefecture.（江ノ島アイランドスパは神奈川県の江ノ島にあります）

誘致力ある英語の例

Please drop in and enjoy our delicious cuisine using locally sourced produce!（地元の食材を使用したおいしい料理をお楽しみください！）

Enoshima Island Spa is just 70 minutes by train from downtown Tokyo and nestled on a historic Island near Japan's ancient capital, Kamakura.
（江の島アイランドスパは都心から電車でわずか70分で、日本の古都鎌倉に近い歴史的な島にあります）

このように「地産地消」や「都心から近い」などの付加価値をワンポイント足すことで、誘致力のある英文になります。付加価値が伝わると、実際にご来店される可能性がグッと上がります。最初は「普通の英語」でもいいですが、そこにとどまらず、ぜひ「誘致力ある英語」を目指しましょう！

ルール3：アクセス方法は目立つところに配置する

先日、東京から長崎の天草に行った時、すごく苦労しました。日本語が読める＆日本の交通システムに慣れている レベル3 の私がとても難しいと感じるのだから、 レベル1 の一見さんにはほぼ無理だと思いました。プライベートの旅行でしたので、私の強くて頑固な意思がなければ、天草行きをやめていただろうと思うくらい大変でした。

レベル1 の旅行者は、「決まった行き先にどうしても絶対に行く」という気持ちを持っている人はあまりいません。ですので、移動のハードルが少しでも高くなってしまうと、行くこと自体をやめてしまいます。

ではご参考までに、私の経験を分析し、 レベル1 と レベル2 はどこで脱落するか、少し考えてみましょう。

全レベルとも最初に探すのは「宿」！

天草に行くために、検索エンジンでいろいろ調べましたが、口コミや情報が少なく、宿泊の選択肢の魅力が伝わらない状態で、日本語以外の情報が極端に不足していました。宿泊施設に英語対応やその魅力が伝わるものがなければ、 レベル1 なら早速ギブアップするでしょう。

次は「空港から宿へのアクセス」だが…

宿がなんとか絞れたところで、チェックイン時間を伝えるために、次は空港から宿までがどのくらいかかるかを調べる必要が出ました。

東京から熊本空港までのチケット購入は、どのレベルのビジターでも簡単に

できると思いますが、空港で降りてからが問題でした。熊本空港から天草市内までの移動手段についての情報が少なく、プロペラジェット、レンタカー、バスなどなど、かなり迷いました。

　いろいろ考えて結局バスにしたのですが、バスの時刻表・飛行機の到着時間・熊本空港からバスターミナルまでの所要時間、天草までのバスチケットの購入方法の情報が、日本語で調べてもなかなか見つかりません。空港から目的地までの行程がここまでわからないのでは、**日本語が不自由な** レベル2 はギブアップするでしょう。

そして「交通チケット購入と時刻表」

　天草までの行き方と、バスの所要時間は２時間半くらいということはわかりましたが、バスチケットの購入方法と値段、天草行きのバスの出発時間などは、結局事前に情報を入手できませんでした。ですが今回は私と友達の２人旅だったので、行ってから考えることにしました。これがもしファミリーでの旅行や、あるいは海外からの レベル1 の友達と旅をするという場合、着いてから考えるという「のんびり旅行」はできません。予定外の出費や、目的地までたどり着けない可能性もあります。違った状況でしたら、私もギブアップしたかもしれないですね。（当たり前のことですが）アクセス方法を明確にしないと、外国人ビジターにお越しいただくことはできないのです。

　どのような施設や店舗でもできることは、**自分の所在地までのアクセス方法を明確にすること**。つまりHPの「アクセス」のページに、徹底的な説明をすることです。

　その際に、できれば、「車の場合」とか「電車の場合」からの説明にしない方がいいです。というのも、車・電車・飛行機などの交通手段を決めてこない外国人旅行者が大変多いのです。どちらかといえば、行き先だけが決まっていて、そこへたどり着くためのベストな手段を教えてほしいと思っています。

　日本人は日本国内の移動に慣れていますので、交通手段と行き先をほぼ同時に決めることができます。例えば「東京⇒北海道」で時間を短縮したい場合、「車ではなく飛行機で行った方がいい」という判断は、日本に長く住んでいる日本人と レベル3 のビジターには可能です。ですが、レベル1 と レベル2 の皆さんは、ノーアイディアです。

　ですから、「我々の施設へのアクセスルートのトップ3はこれ！」のような感じで、そこにたどり着くためのベストな方法を提示してあげれば、予約をゲットする可能性がかなり高くなり、日本人向けのアクセス方法しか提示してないところと大きな差が付くと考えられるのです。

ルール4：コンタクト情報（メールや入力フォーム）は 目立つところに配置する

　問い合わせメールを毎日チェックし、レスポンスをする体制があると、**商機を逃しません**し、英語での電話と比べて扱いやすい連絡手段がメインとなるため、英会話に慣れてない現場スタッフがハッピーになります！

　「お問い合わせ」はコンタクトフォームになっているケースが多いです。コンタクトフォームにメールアドレスなどをご記入いただくことで、こちらから先方にフルネームで連絡ができることに加え、ご本人が自発的に個人情報を送っている履歴も残るため、こちら側の個人情報管理においても安心感が増します。しかし、デスティネーションを考え、旅行行程を作ろうとしている外国人には、時間の余裕がない場合があります。

　そこで、ご多忙な潜在顧客からも貴重な問い合わせをゲットするためには、「Quick Inquiry」みたいなネーミングで、HPのトップページにボタンを増やすことをおすすめします。

　特に現在のような「スピード優先」時代の中では、**外国人の潜在顧客は効率を大切**にします。日本人に対してはメール以外の連絡方法としては電話が考えられますが、言語が異なっていることでコミュニケーションが難しいこと、国

際電話の費用と時差による営業時間とのズレがあることを考えると、外国人には「Quick Inquiry」ボタンがあると大変ありがたく、問い合わせることへの促しになります。

　具体的に説明しますと、「Quick Inquiry」のボタンをクリックすると、題名記入済みのメールメッセージが表示されます。あなたのお店や施設の設定で題名をデフォルトで記入することが可能で「Inquiry to ○○」など、書き込む側の外国人の手間を、できるだけ省いてあげる仕組みになっています。

　そして、メッセージエリアにお客様が自由に内容を記入すると、即時に送信ができるようになります。届いたメールに送信元が載っているため、ちょっと宛名先を工夫すれば、そのまま返信することが可能になります。返信の宛名先にお客様の名前を記入することはできませんが、「Thank you for your Inquiry on ○○」などのように日付を入れれば、お名前の記入がなくても十分にていねいなレスポンスとなります。

　HP上の連絡のしやすさから、スパムメールが若干多くなるかもしれませんが、問い合わせの誘致力を考えれば、これをやらない手はありません。今の時代はお客様からいち早くコンタクトをいただき、それに対してしっかりレスポンスしてお客様のハートをつかむことの方が、スパム防止より優先が高いと考えるのです。

POINT 11
1, 2, 3ツーリズム法則に基づき、HPの大事なパーツを考えよう

年齢関係の注意書き

よく「小学生以下は〇〇」「中学生は××円」のような設定をしていることがありますが、国によって小学生・中学生の年齢は異なりますので、年齢制限は数字で表示しましょう！

使える表現！

□ ～歳以上　　～ years old and above
□ ～歳以下　　～ years old and under
□ ～歳未満　　under ～
□ 未成年　　　minor
□ 未就学児　　preschool child

時間

時間の表示は、万国共通の24時間表示にしましょう！

使える表現！

□ 9時から14時まで営業　**Open from 9:00 to 14:00**

□ 日本時間　　　　　　　**Displayed in Japanese Local Time**
　　　　　　　　　　　　　日時を表示する際は、これを入れることで親切な見せ方に

□ 日本の現在時刻　　　　**Current Local Time in Japan**
　　　　　　　　　　　　　これはとても親切！　時差によって1日違っているところもあるので、何かの予約などを検討している レベル1 顧客のために、この表示があるとありがたい

□ ラストオーダー　　　**Last Order**

📖 L.O. は、国によって通じません。ちなみに「NG」も通じない国が多いので、Please refrain from ... を使うのがお勧めです。No Smoking でも伝わりますが、Please refrain from smoking の方がとても上品な印象が残ります。

飲食店

　ベジタリアンなどの食事制限への対応ができるならば、堂々と「ベジタリアン歓迎！」とアピールしましょう！ 事前予約の要・不要と併せて表示すると、より親切ですね。

使える表現！

□ 様々な食事制限やご希望（ベジタリアン・ビーガンなど）への対応が可能ですが、その場合は3日前までのご予約をお願いしております。

We are able to accommodate various food preferences (vegetarian, vegan, etc.) with notice of at least three days in advance.

□ ベジタリアンやビーガン対応の料理についても、事前予約は不要でございます。

We are able to accommodate Vegetarian and Vegan guests without advance notice.

□ 和食の多くに鰹ベースの出汁が使われております。

Please note that soup and sauce base in Japan can often include bonito fish.

□ もしお食事の制限やご希望（ベジタリアン、ビーガンなど）がございましたら、ご予約やご注文の際にお尋ねください。

Please inquire with your server or at time of reservation about food ingredients if you have certain preferences or limitations.

📖 ヘルシーな和食を食べるために和食の発祥地（本場）を訪れる レベル1 の中には、日本のポピュラー料理にお魚でとっただし汁が使われていることを知らない場合も。蕎麦はベジタリアンOKと安易に思っている レベル1 がけっこういるので、説明すると親切です。

休業日

　定休日はもとより、突然の休館日や不規則な休業の表示は、「休館日」「定休日」という漢字が読める方が少ないので レベル3 でも難しい場合があります。英語のHPにしっかり情報を載せたいですね。一見マイナスに見える閉店情報を伝えることで、着いてからの「Oh No!」状態を防ぎましょう。大切な気配りです。

　なお、定期点検のための休館日などの大事なメッセージを記載する際に、赤い文字を使うケースが多いかと思います。ですがこれは、**外国人のお客様の目から見ると赤字は「注意」よりも「緊急」のメッセージである**ように見えます。何かの問題があるように見えて、不安感が湧いてきます。できれば**赤字を使う**のをやめて、デザインで**目立たせる**といいですね。例えば、目立つ色のボックスで文言を囲んだり、文字を大きく・太くするなどのような工夫が親切だと思います。

使える表現！

☐ 毎週水曜日は定休日　　　Closed every Wednesday

☐ 平日のみの営業　　　　　Open only on Weekdays

☐ 定期点検のため　　　　　Closed for maintenance from
　　7月7日から18日まで閉館　July 7 to 18

☐ 臨時休業　　　　　　　　Temporary Closed

POINT 12
事前情報開示の
ジャンルと具体例

POINT 9 でも述べましたが、お客様に一見不都合と思われる情報でも、しっかりHPなどでお伝えすることが大切です。「不都合な情報」がもたらされることにより、お客様の方に行動のチョイスが生まれ、ご自身で判断してもらうことが可能になります。そうすることでお客様に当事者意識が生じ、予定通りにならなくても、大きなクレームにはつながらない可能性が高いのです。「不都合な情報」を、ありのままで開示することが、ある意味大切なおもてなしとなります。 それでは早速具体的に見てみましょう。

タトゥー

□ 弊社のポリシーとして、刺青や Tattoo のある方のご入場を固くお断りしております。

Please note we have a very strict no-tattoo policy.

□ 大きさに関係なく、どんな種類のボディ・アートであっても、ご入館が不可となることをご了承ください。

Those with tattoos (no matter what size) or body art of any kind will not be able to enter the facility.

この情報が事前に入手できないと、チェックイン時やフロントでトラブルになります。フロントスタッフは悪気なくご案内のルールに従い、「刺青ありますか？」とお客様に聞きます。刺青やボディ・アートについての問題意識を持たない外国人ビジターは素直に「はい、でも足首にある小さな星マークだけです」と答えます。今後最も増加すると考えられる レベル1 の皆さんのほとんどが、「刺青」について日本人がどんなイメージをもっているか、わかっていません。日本の「当たり前」をそのままにしてしまうと、認識にズレが生じ、トラブルにつながります。

ほとんどの レベル1 の外国人は、自国の常識でボディ・アートに慣れており、自己表現の一つだと思っています。「小さな星マークがある」というだけで、まさか入館できなくなるとは思っていませんから、いきなり「入館できない」と言われると、大クレームに発展する可能性が大です。フロントの方も大変です。

フロントスタッフを守るためにも、事前情報として tattoo ポリシーを伝えないといけません。施設が利用できないほどの特定ルールや制限がある場合は、HPだけでなく、情報を掲載している全ての媒体に注意事項として乗せておきたいですね。そうでないと、悪気のない、わざわざお越しになった方を、お断りをすることになります。がっかりした気持ちが怒りに変わり、「対応が悪い！」と口コミサイトに書かれてしまうかもしれません。

ソーシャルメディアとハードメディアも含め、こういった情報をしっかり開示しておけば、それでも施設に来て粘ってみるか、納得がいかなくても受け入れて別なところに行くか、外国人側で判断することができます。知っている上でがっかりするのと知らなかったことでがっかりするのとでは、クレームの加減が違います。クレームになりやすい内容をあえてHPに乗せて、ありのままを知ってもらうようにしましょう。

お子様

☐ 6歳以下のお子様はご入館できません。

Children six years old and under are not allowed in this facility.

> 「就学前のお子様」あるいは「小学生以下」などの表現を使ってしまうと、国によって就学や小学校の年齢が異なっているケースがあります。また、小学生に見えると思っている親もいるようで「小学生です」と言ってそのまま入ろうとします。そこで年齢制限をしっかりと開示することでかなりのクレームを事前防止できるでしょう。

さらに、可能であれば、HP上ではお子様が入れない理由をていねいに掲載すると効果的です。ファミリーで旅行中の レベル1 の方は、お子様と共に行動

したいと思っています。小さな子供でも新しい体験をさせたいと思っていて、「私たちが一緒ですし、親が許可すれば大丈夫でしょう？」と、親に保護の責任があるから問題ないと思っている方も多くいるはずです。たとえば…。

- **●法律で決まっているため**　⇒映画館でのレイトショー　など
- **●子供向けの施設になってないこと**　⇒音が大きい／柵がないから転倒のリスクが高い　など

　こういった理由を明確にHP書いてあげれば、**施設側がお子様のことを大切にしているうえでルールを導入していることが伝わります。**親が納得するだけでなく、お子様の安全などを考えている施設に対しては、感謝の気持ちが湧いてきます。

喫煙・禁煙

□ こちらに喫煙所はございません。

There is no smoking facility available here.

> 喫煙者にとって、喫煙スペースは必須です。わざわざお越しになって、喫煙できるスペースがないことを知ってしまうと、クレームになることがあります。事前に施設が完全禁煙であることを明確に伝えておけば、お客様のほうでその施設を使用するかどうかを決定できる状態になり、親切です。

□ こちらの施設に喫煙スペースございます。

There is a smoking area in this facility.

> 上記の内容と逆のパターンです。禁煙者はタバコなどの煙を嫌うだけでなく、アレルギーを持っている方もいます。我が子をタバコOKなところに連れて行きたくないと考える親もいるので、喫煙の場所があるとの情報を掲載してあげると、施設のイメージがより明快となり、行くかどうかの判断がしやすくなります。

メニュー

□ 18時からは、お一人様6,000円 (税別) からのセットメニューのみの提供となります。

We offer only set menus from 18:00 which start at 6,000 yen per person (tax separate).

□ お客様各自に「お通し代」として、注文の有無に関わらず、300円が加算 されることをご了承ください。

Please note there is an additional charge of 300 yen (Otoshi) per person whether each person orders or not.

📝「お通し代がかかる」「夜や昼はセットメニューのみ」などのお店があります。それを変 更する必要はありませんが、事前にお客様に知らせたい内容です。そうでないと、テー ブルに座ってからびっくりしてしまいます。その場でやめる方もいると思いますが、他 のお客様の前で恥ずかしい思いをさせられたと感じる人もいるかもしれません。なお、 お通し代は、レジやレシートを見てからのトラブルになりやすいです。やはりお金に関 連する内容は、HPやお店の前などにしっかりと表示したいですね。

お店のポリシー

□ 大きな声を出したりするなど他のお客様へのご迷惑となるような行動があ りましたら、お客様にご退館いただく場合がございます。ご了承ください。

Please note we reserve the right to ask guests making excessive noise or bothering others to leave the premises.

📝 外国では「騒ぐこと」「他人に迷惑をすること」の考え方に様々な加減があります。2 〜3度注意をしても改善されないのであれば、ご退館の処置をとっても仕方がないと思 いますし、ポリシーがお客様に明確に伝わっていれば、お客様も文句を言えません。た だし、退室や退館は決して気持ちのいいものではありませんので、十分に事前の告知を したいですね。HPに加えて、室内のご案内に記載してもいいかもしれないです。

混雑時の情報

□ 我々の施設を訪れる方々が集中する時間帯や季節がございますので、混雑 している場合は並んでお待ちいただくことがございます。

Our facility becomes crowded at certain times during the day, so please note you may need to wait in line depending on time of day or year.

📝 HP上では繁忙期を明確に記載してください。期待外れにならないよう、外国人のお客 様へ事前情報として与えてあげたい内容です。当然ですが、ゴールデンウイークや年末 年始・学校の夏休みの感覚は外国人ビジターにはありません。その時期がハイシーズン だとHP上で記載すると、お客様側のほうで来店時期をずらす検討もできます。閑散期 にご来店いただくと、お店側は助かりお客様もゆっくりできるため、双方嬉しい結果に 繋がります。

POINT 13

「レベル１」のビジターと事前のやり取りをしてみよう！

　HPからの最初の問い合わせは、「予約」か「場所への案内」を求めるものが多いです。以下のやり取り例を参考にしてみてください（「Ｃ」はお客様、「Ａ」はあなた）。

Ｃ I am thinking of visiting your place. How long does it take from Tokyo?

（そちらへ行こうと思っています。東京からの移動にどのくらい時間がかかりますか？）

📖 すでに日本にいる、東京にいることがわかった！

Ａ Thank you for your message.

（ご連絡いただき、ありがとうございます）

We are very happy you are considering a visit to our place.

（当店にいらっしゃることをご検討いただいていると聞いて、とても嬉しく思います）

📖 まず、我々にアプローチをくれていることに対しての感謝の意を表します。

Please let us know where you will be leaving from in Tokyo?

（東京からの所用時間ですが、東京のどのあたりが出発点になりますか？）

📖 案内のため、東京のどこから来られるのかをチェック！

We can send you the exact and best directions based on where you will be leaving from.

（お客様の出発点からおすすめのアクセス方法をお伝えすることができます）

If you don't know the name of the station, etc., nearest you, please check with your concierge, etc.

（もし最寄りの駅などがお分かりにならないのであれば、コンシェルジュにお聞きになるか、我々に滞在先を教えていただければこちらで調べます）

📖 オールジャパンの対応のため、ホテルのコンシェルジュや周囲の日本人友達に頼ってもOK！

Ⓒ I will be coming from the Hilton Hotel in Shinjuku.
My concierge says the nearest station is Tojomai or
something like that.

（新宿にあるヒルトンホテルから行きたいと思います。コンシェルジュに聞きましたらこ
ちらの最寄駅は「トジョマイ」のような名前の駅です）

🖉 日本の駅名って難しい！

Ⓐ Thank you for the information.
（滞在先の情報を教えていただき、ありがとうございます）

I checked the station and I think it is called Tocho mae
and is on the Oedo Tokyo line.
（駅の名前を調べたところ、東京大江戸線の「都庁前」という駅ですね）

That is one way to move around or, Shinjuku station is
about a 15 minutes walk from your hotel.
（都庁前を利用してもいいと思いますが、新宿駅まで歩いても15分前後かかります）

🖉 ホテル名がわかれば、駅の名前も見当付く！

You can walk or ride the train to Shinjuku station and
then change to the Odakyu line (headed for Katase
Enoshima) and take a direct train to Katase Enoshima.
（ホテルから徒歩や電車で新宿駅まで行って、小田急線に乗ってください（片瀬江ノ島駅
行き）。片瀬江ノ島駅までダイレクトでいく電車がありますのでそちらに乗ってください）

We think walking to the station or riding the train would
require the same amount of time and the total door to
door would be 1.5 hours.
（新宿駅まではホテルから歩いても電車で行ってもだいたい同じくらいの時間がかかると
思いますので、ドアtoドアで1.5時間を見ておくといいです）

🖉 一見不都合に思われても、時間がかかることを正直に伝えましょう。判断はお客様側
　 に委ねるのです。

Once you get to Katase Enoshima station, we have a free
shuttle bus that leaves every hour or it is a 15 minute
walk across the Benten bridge to Enoshima Island.
（片瀬江ノ島駅に到着しましたら、弁天橋と江の島を往復する1時間に1本の無料シャト
ルバスを運行しております。もし歩いても大丈夫でしたら、駅から江の島アイランドス
パまでは橋を歩いて渡りますが、15分くらいかかります）

Once you cross the bridge, our spa is directly on the
right-hand side.
（橋を渡ってすぐ右にスパが見えてきます）

If you don't see it right away, please ask someone nearby.
（もしわからないようでしたら、近くのお店の方に聞いてみてください）

You can call us at 〇〇 if you get confused along the way.
（途中でわからないことがありましたらいつでも弊社にお電話いただければと思います
（＋電話番号））

🖋 特別な付加価値情報を提供することで印象付ける＆近隣についてもコメントを入れる
ことで安心してもらいましょう！

Do you know which day and time you will be coming?
（ご来館の日程はお決まりでしょうか？）

🖋 先方からの返信誘致には、質問が有効です。消費促進のためにも、予約を入れていた
だきたいですね！

We look forward to seeing you!
（スタッフ一同でお待ちしております）

Ⓒ **Thank you for the specific directions. All understood. We will come on August 7 around noon.**
（アクセスの詳細を教えていただき、ありがとうございます。内容を確認いたしました。
8月7日の正午に到着予定です）

🖋 嬉しい！ ご来店の日程をゲット！ 来館の日程と時間情報をフロントスタッフに一言伝
え、ご来店の際に歓迎の一言を言ってもらうことで、お客様に通常のおもてなし以上
の感動を与えることができる！

Ⓐ **Thank you for your message.**
（ご連絡、ありがとうございます）

Just in case, please note that August is a busy time in Japan.
（念のためですが、8月は日本でのハイシーズンになります）

We open at 10 a.m. so the earlier you arrive, the better.
（10時に開店しておりますので、お早目にお越しいただくことをお勧めします）

🖋 アクセス情報と混雑についての親切な案内をしているため、お客様にとっての貴重な
時間を効率よく使えるようにしてあげています。

We don't want you to have to wait in line at the entrance.
（エントランスで並ぶなどご不便をおかけしたくないと思います）

🖋 「正午に着くと並ぶことがある」という知識を与えることで、もし並ぶことになっても
ご本人の判断次第なので、クレームに発展しにくい！

Also, did you want to make a meal or treatment

reservation?
（ちなみに、お食事やトリートメントのご予約を承りますが、いかがでしょうか？）

📝 混雑情報と予約のための打診を同時に行うとお客様に「営業されている」という気持ちにならない。

Ⓒ **Thank you very much.**
（どうもありがとうございます）

Okay, we will try to get there early.
（そうですね、早目に到着したいと思います）

Good advice!
（ナイスアドバイス！）

We don't need any reservations for now, but thank you for asking.
（そして、予約は今のところ不要ですが、聞いてくれてありがとう）

Looking forward to our visit.
（我々も楽しみにしております）

Ⓐ **Thank you for your message and we are all waiting to assist you.**
（ご連絡、ありがとうございます。スタッフ一同でお待ちしております）

📝 予約をお願いしない結果となったが、食事ができる、トリートメントを受けられる施設であることが先方の意識に入り、当日の消費促進につながる可能性がアップ！

Best regards, ◯◯ファーストネーム、ポジション
（よろしくお願いします、名前、立場）

📝 ファーストネームやニックネームを使った方が外国人にとって覚えやすいです。

　4回ほどのメールのやりとりとなっているため、少々面倒に感じるかもしれませんが、やり取りをていねいに行えば、**外国人にも日本人の親切さ、繊細なフォロー能力が伝わります。**

　これから多くなっていく外国人の顧客には、**日本のベーシックな知識がありません。**8月の「夏休み」や「電車より歩いたほうが早いこと」などのベーシックなことを、ていねいかつ気さくに教えることが最も歓迎されるおもてなしでもあり、喜ばれる気遣いとなります。

POINT 14
ホームページの外国語表記は、ネイティブレベルの目を通すべし！

　外国語表記はネイティブスピーカーに最終チェックをしてもらう必要があります。必ず「3セットの目で作り上げる」を原則にしましょう。

- ●1の目：書いた本人
- ●2の目：元の文（日本語）がわからない、英語を母国語としているネイティブイングリッシュスピーカー
- ●3の目：責任者（HPの責任者など）

　強調して言いたいのですが、ネイティブスピーカーの定義は、「英語ができる方」ではなく、「英語を第一言語（母国語）としている方」です。「海外留学したから英語ができる」という程度ではダメです。なお、**特別な固有名詞や特長的な言い方**については、「2の目」が言うことを、必ずしも守らなくてもかまいません。

　時には、日本語をそのまま英語にするなど「やや変な英語」が、外国人の目を引くことができ、そのまま付加価値あるブランドとして認識されることもあります。

　例えば日本のお茶は、昨今は green tea ではなく Matcha（抹茶）が主流となりました。今や、Green Tea Ice Cream と言うより、Matcha Ice Cream と言う方が「通」な感じがします。

　コンテンツの魅力が通じなければ、消費につながりませんし、目立たなければ目を引くこともできません。ぜひ**翻訳体制を完備**し、英語化を慎重に行うようにいたしましょう！

POINT 15
お客様をつかむための
アクセス情報ご案内術

基本情報に地域情報をプラスしましょう！

アクセス情報は、物理的にお客様が商品やサービスにたどり着くために不可欠で、最重要事項と言ってもいいでしょう。行政に任せず、アクセス方法を自力で明確にすることが、重要な導線づくりとなります。

この情報が難しすぎると、行くことそのものをやめる結果を招いてしまいます。どのレベルの方でもたどり着けるように、わかりやすく誘導するのはそれぞれの現場責任だと思います。

たとえば、今までのお客様のほとんどが車でいらっしゃるような立地だとしても、車を前提にアクセスを伝えてしまうと、 レベル3 でマイカーを持っている外国人だけが対象となってしまいます。もったいない！

観光客のレンタカー利用率は上がっているようですが、まだまだ車以外の移動がメインとなっています。近くの駅からのアクセス情報を必ず入れましょう。

また、住所や電話番号、グーグルマップなどの情報にプラスして、その地域の情報にアクセスできるサイトのリンクを置いておくといいですね。

地域情報ページへのリンクを掲載するとITの担当者は、「うちのHPから離脱してしまうよ」と、少し心配するかもしれませんが、アクセスページを見ている方の心理を考えると、かなり最終決定に近いと考えます。今までの経験から、ご検討いただいているお客様が「周辺エリアも面白そう！」と思ってくれれば、お申し込みや予約につながる可能性が高くなることがわかりました。

アクセスページにはぜひとも、海外から見たときの所在地情報と、そこで楽しめる具体的なアクティビティなどをつけ加えましょう。訴求力が上がります！

Access Info

アクセス情報

    🖊 トップページに大きく表示しましょう

Access via train is recommended.

電車でのお越しをお勧めします。

Approximate cost from Tokyo

東京からの移動費の概算

The closest station to us is ○○.

最寄りの駅は○○です。

🖊 🔲 部分を入れかえて
表現しましょう！

    🖊 ここに、住所・電話番号・グーグルマップのリンクを入れましょう！

Our Hotel is located near the Shimanto River in Kochi Prefecture on Shikoku Island.

当ホテルは四国の高知県、四万十川に近い場所に所在します。

    🖊 まずはその施設やお店の所在地を述べます。

Shikoku is the smallest of the four main islands of Japan and is famous for beautiful beaches, rich agriculture and wonderful festivals.

日本の４つの中心的な島の最も小さい島が四国であり、美しい海、豊富な農産物と活気あるお祭りで有名です。

    🖊 その地域についてさらに説明します。

You can learn a little about the Kochi area here (visitkochijapan.com link).

こちらのリンクをクリックし高知エリアについての情報をご確認いただけます（高知県の英語案内リンクを掲載）。

    🖊 地域情報にアクセスできるサイトのリンクを案内！

We are so happy you have selected our hotel and we hope you enjoy the nearby area as well.

当ホテルをお選びいただき、光栄に思いますし、近隣もお楽しみいただけるかと思います。

We particularly recommend a bicycle ride along the river.

特に四万十川沿いのレンタル自転車がお勧めです。

    🖊 そこで楽しめる具体的なアクティビティなどを付け加えましょう！　付加価値アップ！

Lovely quiet and the beautiful fragrance of nature awaits.
自然の香りと静けさをご満喫いただければと思います。

正式名称と通称を併記しましょう！

　特に宿泊施設の場合、海外からの方は成田や羽田、関西空港経由で日本に入ってきます。海外からいらっしゃる方のために、**所在地を明確にしてあげる必要があります**。また、そう多くはありませんが、車で来られる場合も考えられますので、駐車場の情報についても表記しましょう。何度も言いますが、着いてからのビックリはダメです！

　なお、**公式の名称と日本人が通常に使っている言い方の両方を表示すると親切です**。訪日外国人が目的地を目指す際に、周囲の日本人にヘルプを求めることが想像できます。ですので、日本人側が理解しやすい言い方を使って英語表記してあげると親切です。例えば、「Where is Tokyo International Airport?」と聞いたら、ほとんどの日本人はパニックになり、「×」のジェスチャーをして「ノー・イングリッシュ！」と言うでしょう。でも、「Where is Haneda Airport?」と聞けば、答えられない日本人はほんの少しだと思います。

　NHKの「しごとの基礎英語」に出演しているとき、打ち合わせや収録のため、渋谷によく行きました。外国人が大好きな渋谷にいると、「Excuse me. Where is that famous crosswalk?」と聞かれたりしました。famous crosswalk は「有名な交差点」という意味ですが、日本人にはまず通じないと思われます。その外国人が「scramble」という一言を知っていたら、ほとんどの渋谷人に通じる言い方になりますね。

使える表現！ 「どこ経由？」

Coming from Overseas?
海外からお越しでしょうか？

From Tokyo International Airport (Haneda)
羽田経由

From Narita International Airport (Narita)
成田経由

From Kansai International Airport (Kanku)
関西国際空港経由

Arriving by car :
車でお越しの場合：

Please arrive around 10 a.m. to make sure you are able to get parking.
車でお越しになる場合は、10時までに到着するのがお勧めです。

Parking information :
駐車場について：

Please note that parking lots fill by noon on weekends.
週末や祝日・休日は、昼までに駐車場が満車になってしまいます。

使える表現！　渋谷のスクランブル交差点について

We are near the famous crosswalk that appears in many Hollywood movies.
ハリウッド映画に数回ロケ地に使われていた有名な交差点の近くに所在しています。

Japanese refer to this crosswalk as Scramble Kosaten.
日本人は渋谷の有名な交差点をスクランブル交差点と呼んでいます。

If you can't seem to find it in busy Shibuya, please ask a passerby where Scramble Kosaten is and they can surely show you the way.
混雑している渋谷の中で迷った場合、通行人に「Scramble Kosaten ？」と話せば、ほとんどの方に教えていただけます。

外国人に知られている可能性大の要素を盛り込もう！

　日本の地名はどのレベルの訪日客から見ても覚えにくく、区別しにくいものです。私も、隠れキリシタンがいた九州の場所が五島なのか天草なのか、「どちら？」と聞かれても「『沈黙』という映画のロケ地になった方です」と答えてしまい、具体的な地名をうまく答えられません。

　ちなみに、『沈黙』のロケ地となったのは五島であり、私の地元であるハワイ出身のキリスト教の友達の間では、五島を巡るツアーが人気です。

　たとえば「ロケ地で使われたところに近い」とか「××に似ている」とか、外国人に知られている可能性が高い内容をうまく活用すると、潜在顧客との距離が近くなります。うまく繋げると、 レベル1 の一見さんにもしっかり伝わります！ ピンと来ます！

　また、以前聞いた話ですが、ハネムーンで伊豆・下田に行こうとしていた外国人カップルが、間違えて岩手県盛岡市の下田に来てしまうということがあったそうです（しかも月に2～3組も！）。成田到着後の眠い目で、スマホで検索する姿が想像できます。かわいそうですね！

　施設やお店のHP上でのていねいな工夫が、こういった間違いを防ぎ、お客様の幸福を守ることになるかもしれません！ いくつか文例を見てみましょう。

使える表現！　地元情報

Much like the Goto area of Kyushu where the movie "Silence" was filmed, Amakusa is also known for its history of hidden Christians.
『沈黙』のロケ地となった五島同様に、天草にも多くの隠れキリシタンがいたという歴史で知られる場所です。

There are two locations here that have been designated as UNESCO World Heritage sites.
ユネスコの世界遺産に登録されているところが2箇所もあります。

We invite you to visit this lovely seaside village of great significance to Japan.
この歴史的な魅力溢れるシーサイドタウンに是非ともお越しいただければと思います。

コンシェルジュへの誘導も GOOD！

　お店や施設へのアクセス手段として、グリーン車や指定席ありの特急電車などについての情報も加えていただきたいですね。また、特別列車に乗ると、移動という行為が「体験」へと進化します。繁忙期でも座れる可能性が上がりますし、お客様にとってのオプションが増えます。

　 レベル1 の外国人は、日本の電車や交通機関の事情がよくわかりません。どれだけ混雑するかもイメージできないですし、通勤ラッシュや女性専用車両、座れない車両をどう避けるかというコツも知りません。そこで、電車の活用法についてのアドバイスを与えるだけで選択肢が増え、利用されなかったとしても、「ある」ということを知るきっかけとなります。これによって、**移動による負担をお客様自身で調整できる**ようになり、とても親切です。

　交通手段の選択肢が多い場合、詳しくはコンシェルジュへ相談することをお勧めします。そして、「分からなかったらメールを」という一言を入れて、「できるだけメールでの問い合わせを」と促します。

　外国人ゲスト（特に レベル1 ）は訪日中の滞在期間が限られているため、時間をできる限り効率よく快適に使いたいと思っています。ですから、例えば「ホテルから新宿駅まではタクシーがベストです」とコンシェルジュからすすめられることで、徒歩や地下鉄だと20～30分かかるところを**一気に節約できる**ため、目的地で過ごす時間が長くなり、お客様はハッピーです。

　もちろんお金を節約することを優先するために、バス・電車・徒歩というコンビネーションを選ぶ方もいると思いますが、**選択肢を豊富に伝えることが大切**です。顧客が手段を選べ、気持ちがいいものです。

使える表現！　コンシェルジュ＆メール案内

Recommendation:

推奨：

Please inquire with the concierge at your hotel about this address to decide which station you should use to most efficiently reach Enoshima since there are various options available.

さまざまな選択肢があるため、江ノ島に最も効率的にアクセスするためにどの駅を使用するかについては、ホテルのコンシェルジュにお問い合わせください。

If you are still unsure, please feel free to contact us via email at info@ ○○ .

それでもご不明な場合は、info@ ○○まで、お気軽にメールでお問合せください。

Please note there is often a special car on the train called the Green Car.

電車には、グリーン車と呼ばれる特別な車がしばしばあることにご注意ください。

Tickets can be purchased on the platform before boarding the train for an additional amount, but this makes finding a seat much more likely.

追加料金を払えば、列車に乗る前にプラットフォームで切符を購入できますし、座席を見つける可能性がはるかに高くなります。

Recommended especially during busy times of the year.

特に忙しい時期におすすめです。

問い合わせしやすいように誘導しましょう！

　お客様からの大事なお問い合わせ、欲しいですね！　スムーズに問い合わせを送ってもらえるように誘導しましょう！

　届いたメールについて、スパムかどうかをチェックし（練習して慣れてくると、スパムかどうかがわかるようになります。パターンがとても似ていますので、同パターンだったら「スパム」と判断しましょう！）、ちゃんとした問い合わせの場合には48時間未満で返すように頑張りましょう！

　先方の名前や企業名がわかれば、インターネットで検索しましょう。どんなお客様なのか？ ターゲット層に適しているか？ 色々と参考になりますよ。

　相手が男性なのか女性なのかがわからない場合は、「〇〇 -san」にすると、日本的で相手は「素敵！」と思ってくださいます。つまり、Hello Mr./Ms... ではなく、Hello Johnson-san とするのです。

メール問い合わせ対応の利点

　「初来日です」という答えが返ってきたら、 レベル1 のお客様であることが明確です。お客様の日本理解度レベルが事前にわかれば、フォロー対策やどの情報を提供するかなど、色々と準備が可能になります。心の準備もね！ 初来日でなければ、 レベル2 や レベル3 向けのおもてなしを考えましょう。

　メールでの問い合わせへの誘導が効くようになると、外国人からの問い合わせに対して、スタッフ全員の自信が増してきます。メール問い合わせ対応の経験を経ていくうちに、電話にも少しずつ慣れていきます。かつてのサービスアパートメント事業のときは、５年ほどでスタッフ全員が電話問い合わせに躊躇せず出られるようになりました。つまり、メール問い合わせ対応は、外国人対応に慣れていくための準備期間としても非常に有効な戦略なのです。

　問い合わせ対応をしっかりすることで、潜在顧客を新しい固定客にしていきましょう！

使える表現！　メール対応

Quick Email Inquiry
メールお問い合わせ
　　📝メール問い合わせをトップページに掲載する例。開いたら題名が記入済みとなっている。

Web Inquiry
ウェブ問い合わせ
　　📝内容は空白で、顧客は簡単に用件を書き込めるようになっている。

Thank you for your inquiry and we very much look forward to serving you.

ご連絡いただき、まことにありがとうございます。メールをありがたく承りました。

✍ 送信した後にこのような自動返信メッセージが出るように設定しておきましょう！

We will try to get back to you within the next 48 hours.

48時間以内にこちらから返信をいたします。

Best regards from all of us at (施設名を入れる).

どうぞ、よろしくお願いいたします。（施設名）

Thank you very much for contacting us, my name is ○○ and I am very happy to meet you via email.

お問い合わせいただき、まことにありがとうございます。○○と申します。メールでお会いできて光栄に思います。

✍ お礼と自己紹介でスタート！

We very much appreciate you being able to communicate with us via email.

メールでのやり取りをさせていただき、本当に助かります。

We don't have that many staff who can handle languages other than Japanese so for smoothest communication and as few mistakes as possible, mail is best.

弊社では日本語以外を口頭でスムーズに対応できるスタッフは限られていますので、間違いがないようにと、また、スムーズなやり取りのためには、是非ともメールでのご連絡をお願いいたします。

✍ メールや英語対応についてのことわり（電話ではなく、メールでのやり取りが続くことを予告してあげると親切ですし、電話がかかりにくくなります）

Looking forward to hearing from you.

ご連絡をお待ちしております。

By the way, is this your first visit to Japan?

今回のご来日は初めてでしょうか？

✍ 最後に質問で終わらせるとやり取りが始まり、返信をいただける可能性がかなり高くなります。

おもてなし英語表現リスト

Handy Hints for Conveying Policy. Great for promotion, signage, etc.

【宿・温泉】	
避難経路	**Escape Route**
非常口	**Emergency Exit**
男湯／女湯	**Men/Women**
脱衣場	**Changing Area**
サウナ	**Sauna**
男性用トイレ	**Men's Restroom**
女性用トイレ	**Women's Restroom**
女性スタッフが清掃中です。	**A Female Staff is Currently Cleaning Here**
男性スタッフが清掃中です。	**A Male Staff is Currently Cleaning Here**
トイレットペーパーや他の備品の持ち帰りは禁止です。	**Please refrain from taking washroom supplies including toilet paper home.**

施設やお店、観光地などでのご案内・表示に使えるフレーズをまとめました。まずはここから、英語化していきましょう！

使用後は蓋を閉めてください。	**Please close after use.**
水は自動で流れます。	**Automatic flush.**
トイレットペーパー以外は流さないでください。	**Please refrain from flushing anything other than toilet paper.**
こちらのトイレは和式のみです。	**Only Japanese-style toilet available here.**
和式と洋式の両方があります。（トイレ）	**Both Japanese-style and Western-style toilets are available here.**
脱いだ服はロッカーに入れてください。	**Please place clothing inside a locker.**
ロッカーのカギは自分で保管してください。	**Please keep your locker key safely with you at all times.**
体の水分を拭いてから脱衣場に戻ってください。	**Please towel off excess water before returning to the changing area.**

右が女性、左が男性の浴場です。	**Women's bathing area is on the right and Men's bathing area is on the left.**
髪が湯につかる場合は結んでください。	**Please tie back longer hair to keep it out of the bath water.**
ここから先は大変滑りやすいです。ご注意ください。	**Please be carefully as this area can be very slippery.**
水着や他の服でのご入浴はご遠慮ください。	**Please refrain from wearing bathing suits or other clothing in the bath.**
タオルは湯船のお湯につけてはいけません。	**Please keep all towels out of the bath.**
浴場では、シャワーは座ってご利用ください。	**Please remain seated while showering in the shared area.**
温泉に入る前にかけ湯をしましょう。	**Please rinse your entire body before entering the bath.**
源泉かけ流しです。	**This is a pure, un-diluted Onsen hot spring.**

お湯が大変熱いです。お気をつけください。	**Please be careful as the hot spring water can be very hot.**
浴衣のサイズは交換可能です。お気軽にお申しつけください。	**We are happy to exchange your Yukata robe for other sizes. Please don't hesitate to inquiry staff.**
喫煙はご遠慮ください。	**Please refrain from smoking.**
この部屋は禁煙です。	**This is a no-smoking room.**
喫煙フロアは○階です。	**The smoking floor is number ○○.**
喫煙エリアは○階にあります。	**The smoking area is on floor number ○○.**
自動販売機は○階にあります。	**Vending machines are located on floor number ○○.**
（朝食ブッフェで見本となる和食の写真を載せて）このようにお召し上がりいただけます。	**Here is an example of how to eat this dish.**

【ショッピング】

ギフト用のラッピングを承っています。	**Gift wrapping is available.**
バラ売り可能です。	**Purchase of individual items is welcome.**
これは見本です。	**This is a sample.**
手に取ってお確かめください。	**Feel free to handle this item.**
テイスティングできます。	**Free samples available.**
○○（素材）でできています。	**Made from ○○.**
写真撮影はご遠慮ください。	**Please refrain from any type of photography.**
ご自由にお持ちください。	**Please feel free to take one home.**
まとめ買いがお得です。	**Rate is reduced with bulk purchase.**
詳しくはスタッフへおたずねください。	**For more details, please inquire with staff.**
両替には購入が必要です。	**Purchase required to break a bill.**

オンライン通販はここから！ ※QRコードと一緒に表示	**Click here to access online sales.**
現金払いのみ可能です。	**Cash only please.**
クレジットカードが利用可能です。	**We welcome credit card payments.**
これらのクレジットカードが利用可能です。	**We welcome the credit cards listed.**
レジ袋は有料です。	**Extra charge for bags.**
フォークやスプーンが必要ならお申し付けください。	**Please request a fork or spoon if required.**
トイレをご利用の場合は店員にお声かけください。	**Please inform staff before using the restroom.**
イートインする場合は会計前に申し出てください。	**If you will eat inside, please inform the staff at the register.**
お酒の購入には年齢確認が必要です。	**Age verification will be required to purchase alcohol.**
ここから並んでください （※レジの行列）	**Please form the line here.**

【飲食店】

おしぼり	**Hand towel.**
台拭き	**For wiping the table.**
返却口	**Please return here.**
受取口	**Please pick up here.**
食券	**Food ticket.**
調味料	**Seasoning.**
薬味	**Condiments.**
子供用の椅子	**Child's chair.**
当店はセルフサービスです。	**Self Service.**
混雑時は先に座席を確保してください。	**When crowded, please find your seat first.**
ご利用後の食器はご自身で返却ください。	**Following use, please return your cutlery and dishes directly.**
9時から15時まで営業	**Open from 9:00 to 15:00.**
水曜定休	**Closed every Wednesday.**

定期点検のため７月７日から18日まで休業	**Closed for maintenance from July 7 to 18.**
肉・魚不使用のセット	**Vegetarian Set (no meat or fish).**
動物性食材不使用のセット	**Vegan Plant Based Set, no animal products.**
ヴィーガン／ベジタリアンメニューがあります。	**We offer vegan / vegetarian options.**
ヴィーガン／ベジタリアンメニューはありません。	**We do not have vegan / vegetarian options.**
こちらの商品はヴィーガン向けです。	**This product is vegan.**
SNSで拡散していただけた方に無料で〇〇をプレゼントします。	**We have a special offer of 〇〇 for those who write us up on social media.**
当店では、お茶とお水を無料で提供しております。	**We offer free tea and water.**
当店では、席料がかかります。	**There is a table/seat charge here.**
当店は、お通し代はかかりません。	**There is no table/seat charge here.**

【観光名所など】

開園時間	**Opening Hours**
入場料	**Admission Fee**
入場チケット売り場	**Admission Tickets**
撮影不可	**Please refrain from any type of photography.**
撮影可能	**Please feel free to photograph.**
飲食禁止	**Please refrain from eating or drinking here.**
順路	**Route.**
出口	**Exit.**
再入場不可	**No re-entry allowed.**
身長制限：120cm 以上	**Entry limited to those 120 cm. and above.**
触らないでください	**Please do not touch.**
インスタ映えスポット	**Perfect photo spot!**
飲料水	**Drinking water.**

休憩用ベンチ	**Rest area.**
ここに座らないでください。	**Please refrain from sitting here.**
ここに乗らないでください。	**Please do not sit or stand here.**
ここから先は立ち入り禁止です。	**No entry beyond this point.**
ここから先は靴を脱いでください。	**Please remove shoes here.**
こちらで手や口を清めてからお参りください。	**Please rinse hands and mouth before prayer.**
混雑時は一列に並んでお待ちください。	**When crowded, please wait in a single line.**

Photo: gandhi / PIXTA（ピクスタ）

●著者紹介

ルース・マリー・ジャーマン　Ruth Marie Jarman

米国ノースカロライナ州生まれハワイ州育ち。1988年にボストンのタフツ大学国際関係学部を卒業後、リクルートに入社し、以来31年間日本に滞在。1992年から個人事業主として翻訳と通訳のキャリアを構築し、2000年から株式会社スペースデザインに在籍。東京・横浜にて、新規事業の来日外国人向けの家具付きサービスアパートメントの開発・運営業務に携わる。2012年までの間、営業本部長として、約4万人の訪日外国人プロフェッショナルと接し、現場で情報発信と販売促進策の経験を多く積む。その際、初来日される外国人の様々な目線を観察したことが現在のインバウンドコンサルティングの基盤となっている。1998年に日本語能力試験（JLPT）1級合格、2006年に欧米系女性として極めて珍しく、日本の宅地建物取引士となる。

現在は公益財団法人日本女性学習財団評議員、一般社団法人HRM協会の理事を務めるほか、神奈川県地方創生推進員、復興庁の「新しい東北」事業の有識者として日本のインバウンド対策の第一線を走る。在日米国商工会議所のスペシャルイベント委員会の共同委員長として2013年度のリーダー・オブ・ザ・イヤー（女性／東京地区）にも選ばれ、日本と海外の架け橋として幅広く活躍している。https://www.jarman-international.com/jp/

本書へのご意見・ご感想は下記URLまでお寄せください。
https://www.jresearch.co.jp/contact/

カバーデザイン	根田大輔（Konda design office）
本文デザイン・DTP	江口うり子（アレピエ）
本文イラスト	田中斉／metamorworks／PIXTA（ピクスタ）／SssstudioV／PIXTA（ピクスタ）
ナレーション	Ruth Marie Jarman／Jon Mudryj／Jennifer Okano

「1，2，3 ツーリズム法則」の接客英語

令和2年（2020年）2月10日　初版第1刷発行

著　者	ルース・マリー・ジャーマン
発行人	福田富与
発行所	有限会社　Jリサーチ出版 〒166-0002　東京都杉並区高円寺北2-29-14-705 電話03(6808)8801（代）FAX 03(5364)5310 編集部03(6808)8806 URL https://www.jresearch.co.jp
印刷所	㈱シナノ パブリッシング プレス